WALTER HOLTZAPFEL

Krankheitsepochen der Kindheit

ähnliche Welt

Juni 1984

MENSCHENKUNDE UND ERZIEHUNG

11

Schriften der Pädagogischen Forschungsstelle
beim Bund der Freien Waldorfschulen

WALTER HOLTZAPFEL

KRANKHEITSEPOCHEN

DER KINDHEIT

VERLAG FREIES GEISTESLEBEN STUTTGART

Dritte erweiterte Auflage 1978
© 1960 Verlag Freies Geistesleben GmbH Stuttgart
Gesamtherstellung Greiserdruck Rastatt
ISBN 3 7725 0211 3

Inhalt

Vorwort zur zweiten Auflage

Die zweite Auflage wurde durchgesehen, ergänzt und um das Kapitel «Die Entwicklung des Ich-Bewußtseins im Kindesalter» erweitert. Auch der Abschnitt über frühkindliche Hirnschäden leichteren Grades (Kap. I) erfuhr wegen der großen praktischen Bedeutung dieser Störung eine stärkere Erweiterung. Es hätte nahe gelegen, die Krankheitsbetrachtung, die hier die normale Entwicklung begleitet, auf die immer häufiger werdende Legasthenie und auf abnorme Verläufe auszudehnen. Beides ist aber inzwischen in anderen Büchern des Verfassers geschehen*.

An der Grundkonzeption des Buches hat sich nichts geändert. Nach Erscheinen der ersten Auflage sind Veröffentlichungen herausgekommen, die die hier vertretene Auffassung in zwei Punkten bestätigen. – Einmal handelt es sich darum, daß es bei der «Schulkrankheit» nicht so sehr auf die einzelnen – durchaus bekannten – Symptome ankommt, sondern auf ihren wechselnd-schwankenden Verlauf, bei dem die verschiedenen Symptome sich untereinander abwechseln und vertreten können. Dadurch gerade ordnen sie sich dem allgemeinen Charakter des «rhythmischen Lebensalters» ein, wie das dargestellt wurde (Kap. II, S. 40). Dieser charakteristische zeitliche Verlauf war bisher in der deutschsprachigen kinderärztlichen Literatur m. W. nirgends beachtet worden. 1965 wurde das 1962 erschienene Buch «The Child and his Symptoms» von Apley und Mac Keith (22) in deutscher Übersetzung (23) zugänglich. Darin sprechen die Verfasser von dem «periodischen Syndrom» oder von «recidivieren-

* W. Holtzapfel, Seelenpflege-bedürftige Kinder, Bd. I und II, Dornach/Schweiz 1976 und 1978.

7

den Schmerzzuständen» wechselnder Lokalisation. Mit beiden Bezeichnungen ist das gemeint, was hier als «Schulkrankheit» geschildert wird; und mit beiden Bezeichnungen wird eindeutig deren wechselhafter Verlauf betont. – Die zweite Bestätigung bezieht sich auf die formschöpferische Potenz der Haut, auf die in Kap. I (S. 18) hingewiesen wurde. Hierfür liefert das 1968 erschienene Buch von Erich Blechschmidt «Vom Ei zum Embryo» (41) eindrucksvolle Belege aus der Embryologie.

Vorwort zur 3. Auflage

Der 3. Auflage wurde ein Kapitel über «Schulärztliche Gesichtspunkte» hinzugefügt, um nach der Schilderung der Krankheitstendenzen auch einige Grundzüge der ärztlichen Behandlung zu erläutern. Im übrigen handelt es sich um einen unveränderten Nachdruck der 2. Auflage.

Einleitung

In der schulärztlichen Tätigkeit ergibt sich immer wieder die Erfahrung, daß bestimmte Erkrankungstypen sich jahrgangsweise häufen. Als in der Zeit nach dem zweiten Weltkrieg der Unterricht unter behelfsmäßigen Umständen begann, kam eine so große Anzahl von Schülern und Schülerinnen einer vierten Klasse mit Beschwerden wie Kopfschmerzen, Übelkeit, Leibschmerzen in die schulärztliche Sprechstunde, daß man eine gemeinsame Ursache annehmen mußte. Es lag nahe, diese zunächst in den äußeren Verhältnissen zu suchen und an eine Vergiftung durch aus dem schadhaften Ofen entweichende Gase zu denken. Es zeigte sich aber, daß entscheidend für das Auftreten dieser Beschwerden das Lebensalter der Kinder war, wenn auch äußere Ursachen begünstigend oder hemmend mitwirkten. Solche Beobachtungen aus der schulärztlichen und auch aus der allgemeinen Praxis mehrten sich und bildeten den Ausgangspunkt für diese Untersuchung.

Als Erfahrungstatsache war der Zusammenhang zwischen Lebensalter und Krankheit vor allem von den Kinderärzten bemerkt worden, es war ihm aber im allgemeinen wenig Gewicht beigelegt worden. So sagt z. B. Bessau: «Eine Tatsache drängt sich jedem Beobachter auf, daß jede Periode der Kindheit ihre besondere ‹K r a n k h e i t s -p h y s i o g n o m i e› besitzt, die durch die Häufigkeit dieser und die Seltenheit oder das Fehlen jener Erkrankungen ... gekennzeichnet wird» (1). Der hier geprägte Begriff der «Krankheitsphysiognomie» kann weiterführen, denn eine Physiognomie, z. B. die eines Menschen, vermag ja etwas über das Wesen ihres Trägers auszusagen, wenn man in ihr zu lesen versteht.

Welchen Grund hat es, daß bestimmte Krankheiten bestimmte Lebensabschnitte bevorzugen? Es muß doch eine innere Verwandtschaft bestehen zwischen dem Wesen eines Lebensalters und dem Charakter der auftretenden Krankheiten.

Pirquet sprach von einer «Allergie des Lebensalters» (2), wobei er unter Allergie eine veränderte Reaktionsfähigkeit verstand. Damit ist zunächst auch weiter nichts gesagt, als daß jedes Lebensalter eben «anders» reagiert. Worin besteht das Wesen dieser Andersartigkeit? Pirquet selber sagt am Schlusse seiner Arbeit: «Worauf beruht nun die Altersallergie? Das ist eine Frage, die wir heute noch gar nicht beantworten können. Im Falle der Tuberkulose mag die Vorstellung berechtigt sein, daß die Disposition der Pubertätsjahre mit den Keimdrüsen im Zusammenhang steht. Es scheint mir sehr wahrscheinlich, daß die Endokrinologie und die Vererbungslehre berufen sein werden, vieles zu erklären. Einstweilen sind wir aber noch nicht so weit, sondern sind noch mit dem Sammeln der Tatsachen beschäftigt; Tatsachen, welche geeignet sind, in unerforschte Gebiete der Medizin zu führen» (2). Diese unerforschten Gebiete der Medizin werden sich uns aber erst dann erschließen, wenn die Frage beantwortet wird, die Pirquet hier noch für unlösbar hält, die Frage nämlich nach der Altersallergie, d. h. nach der qualitativen Verschiedenheit der Lebensalter.

In zahlreichen Vorträgen und Kursen sowie in seiner Schrift «Die Erziehung des Kindes vom Gesichtspunkt der Geisteswissenschaft» (3) hat Rudolf Steiner das sich entwickelnde Wesen des Kindes dargestellt. Dabei ist wesentlich, daß diese Entwicklung nicht kontinuierlich verläuft, sondern sich in grundsätzlich verschiedene Epochen gliedert, die mit den drei Jahrsiebenten des kindlichen Lebenslaufs zusammenfallen. An den Wendepunkten, die durch den Zahnwechsel und die Geschlechtsreife markiert werden, ändert sich das Wesen des Kindes fast sprunghaft in entscheidender Weise. In der heutigen Kinderpsychologie und Kinderpsychiatrie spricht man da von «Umbruchsphasen» der Kindheit.

Der Lehrer, der mit einem an der Menschenkunde Rudolf Steiners geübten Blick vor seine Klasse tritt, hat immer wieder Gelegenheit, aus den ihm sich bietenden pädagogischen und psychologischen Phänomenen nun selbst zu einem lebendigen Bilde der Kindheitsepoche zu kommen, mit der er es gerade im Unterricht zu tun hat. Seine eigenen pädagogischen Erfahrungen bestätigen ihm und konkretisieren das, was er aus den Forschungsergebnissen Rudolf Steiners lernen konnte. Er beginnt, in der Kindesnatur zu lesen. Und ähnlich geht es dem Arzt. Für ihn wird es durch Rudolf Steiners Darstellung des Wesens der kindlichen Lebensepochen möglich, die altersmäßige Gliederung der Kinderkrankheiten zu verstehen. Aber umgekehrt beginnen nun auch die Krankheitserscheinungen ihrerseits eine Sprache zu sprechen, aus der das von Epoche zu Epoche sich wandelnde Wesen des Kindes deutlich hervorgeht. Vielleicht ist diese Sprache sogar besonders eindringlich und in ähnlicher Weise aufklärend auch für die Erkenntnis der gesunden Entwicklung des Kindes, wie es für Goethe gerade das Studium der Mißbildungen war, das ihm die Gesetze der normalen pflanzlichen Organisation erschloß. Es kommt hier nicht nur auf die Darstellung der einzelnen Krankheiten an, sondern vor allem darauf, einmal zu verfolgen, wie ein einheitlicher Zug, eine Art gemeinsamen Stils, sich durch alle Lebensäußerungen eines Jahrsiebents der kindlichen Entwicklung hindurchzieht.

Diese Stileigentümlichkeit, die nicht nur in den morphologischen Merkmalen, in den Funktionen und Tätigkeiten des Kindes, sondern besonders deutlich auch in den Krankheitserscheinungen sichtbar wird, vermag etwas über das Wesen der von ihr geprägten Lebensepoche auszusagen.

Das erste Jahrsiebent

Das Lebensalter sphärischer Kräfte

Bei jeder Leistung, die wir von einem Kinde verlangen, sollten wir uns dessen bewußt sein, daß das Kind stets zusätzlich noch eine weitere Leistung vollbringt, die uns als Erwachsenen nicht mehr möglich ist, nämlich die, daß es täglich und stündlich wächst. Für diese Doppelbeanspruchung müssen wir dem Kinde genügend Zeit lassen; Zeit zur Ruhe, Zeit zum Schlaf und auch Zeit zum Spiel, damit die wachsenden Organe sich aufeinander einspielen können.

Das Wachstum des Kindes ist kein geradlinig verlaufender Vorgang, es zeigt gesetzmäßige Schwankungen je nach Tageszeit, Jahreszeit und Lebensalter. So überwiegt im Frühjahr das Längenwachstum, während im Herbst die Gewichtszunahme größer ist. Dieser jahreszeitliche Rhythmus zeigt einen Anklang an das pflanzliche Wachstum, das ja auch im Sprießen und Sprossen des Frühjahrs in die Länge schießt, während im Herbst die Früchte sich runden.

Es ist bekannt, wie groß die Wachstumsintensität am Anfang des Lebens ist, beim Säugling und beim kleinen Kind und ganz besonders in der Embryonalzeit. Der Embryo wächst in einem Monat etwa so viel wie das Schulkind in einem Jahr, also zwölfmal schneller. Vom 6./7. Jahre ab bleibt der jährliche Längenzuwachs ziemlich konstant bei etwa fünf Zentimetern, um in der Präpubertät und Pubertät erneut anzusteigen. Nach diesem – nur dem Menschen eigentümlichen «Pubertätsschuß» geht das Längenwachstum schnell zurück und kommt mit etwa 17–21 Jahren ganz zum Stillstand. Der junge Mensch ist ausgewachsen, er ist «erwachsen» geworden. Der im Kindesalter überwiegende Aufbau ist nun zunächst in ein dynamisches Gleichgewicht mit den immer stärker werdenden Abbaukräften gekommen. Dieser scheinbar stationäre Zustand dauert aber nicht lange. Die Abbaukräfte beginnen zu überwiegen, und schon mit 28–30 Jahren ist bei genauen Messungen ein leichtes Wiederabsinken der Körpergröße festzustellen, das nun langsam bis zum Lebensende fortschreitet. Bei älteren Menschen ist dann ja das Kleinerwerden schon eindrucksmäßig ohne Messung leicht zu bemerken. Die Zwischenwirbelscheiben flachen sich ab, der Rücken beugt sich. Der Mensch neigt sich gegen das Lebensende der Erde wieder zu, von der er, biblisch gesprochen, seinem Leibe nach genommen ist. Was hier von der menschlichen Gestalt im ganzen gesagt wird, gilt für die einzelnen Organe in differenzierter Weise: das Gehirn verkleinert sich schon vom 15. Lebensjahr ab wieder, die Fassungskraft der Lunge beginnt etwa vom 30. Jahre ab nachzulassen, während Leber und Bauchspeicheldrüse das Maximum ihrer Ausdehnung erst mit 40 Jahren erreichen, um von da an zurückzugehen. Im ganzen genommen aber können wir von einer aufsteigenden und einer absteigenden Lebenshälfte sprechen. Ähnlich wie das bei manchen älteren bildlichen Darstellungen des menschlichen Lebenslaufes geschehen ist, wo in aufeinanderfolgenden Bildern zunächst das Kind in der Wiege, dann der reife Mensch auf der Höhe des Lebens und schließlich der Greis wieder herabsteigend gezeigt wird, wollen wir uns hier diese Verhältnisse in der abstrakteren Form einer Kurve vergegenwärtigen.

Abb. 1   Die aufsteigende und die absteigende Lebenshälfte.

Es gibt nun eine andere Kurve, die ebenfalls den gesamten menschlichen Lebenslauf umfaßt, aber einen entgegengesetzten Verlauf zeigt. Diese Kurve hat ihren absteigenden Ast zu Beginn des mensch-

lichen Lebens, ihren Scheitelpunkt etwa im 10. Lebensjahr, ihren aufsteigenden Ast im Alter. Man spricht von dem U-förmigen Verlauf
dieser Kurve, welche die Sterblichkeit (und ihr etwa parallel gehend
die Erkrankungshäufigkeit) in den verschiedenen Lebensaltern an-
gibt.

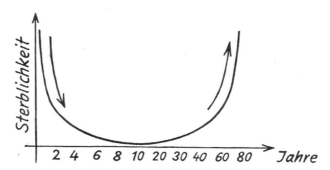

Abb. 2   Kurve der Lebensaltersterblichkeit, modifiziert nach
Pfaundler, schematisiert.

Was steigt hier ab, und was steigt hier auf? Während wir beim Verfolgen der Kurve des Wachstums und des Lebens (Abb. 1) innerhalb
der sinnenfälligen Tatsachen stehenbleiben können, reichen wir zum
Verständnis der Kurve der Krankheit und des Todes (Abb. 2) mit
der rein naturwissenschaftlich-biologischen Betrachtungsweise nicht
mehr aus. Aber das geht uns ja letzten Endes immer so, wenn wir es
mit dem Menschen zu tun haben, denn der Mensch ist nicht nur ein
körperlich-biologisches Wesen, sondern auch ein geistig-seelisches.
Wie uns die erste Kurve ein Bild war der sich aufbauenden und wieder verfallenden Leiblichkeit, so wird uns die zweite zum Bilde für
das Verhalten der geistig-seelischen Wesenheit des Menschen, die mit
der Geburt herabsteigt, sich mit der Leiblichkeit verbindet und im
Tode sich wieder löst. Der Kurve des Aufbaues und Abbaues steht
gegenüber die Kurve der Inkarnation und Exkarnation.
Daß der rechte Schenkel dieser zweiten Kurve wieder ansteigt, daß
im Alter die Sterblichkeit zunimmt, ist eine uns geläufige Lebens-
tatsache, die zunächst keiner weiteren Erläuterung bedarf. Der linke
Schenkel der Kurve, die Sterblichkeit im Säuglingsalter anzeigend,

ist in unserem Jahrhundert dank der Fortschritte der modernen Kinderheilkunde stark zurückgegangen. Eine auffallende Ausnahme macht die Neugeborenen- oder Frühsterblichkeit der ersten Lebenswoche. Diese ist in den zivilisierten Ländern bis in die zwanziger Jahre unseres Jahrhunderts ungefähr gleichgeblieben und von da an sogar langsam wieder gestiegen; ebenso die Zahl der Totgeburten und die Müttersterblichkeit bei der Geburt. Über die Ursachen dieser bestürzenden Erscheinung ist man wissenschaftlich noch zu keiner Einigung gekommen, wenn man auch bestimmte Vermutungen darüber haben kann. Es geht jedenfalls so viel daraus hervor, daß in der modernen Zivilisation Faktoren liegen, die den Eintritt durch das Tor der Geburt erschweren.

Wir können nun die beiden bisher betrachteten entgegengesetzten Kurvenverläufe miteinander verbinden und kommen so zu einem Bilde der menschlichen Gesamtwesenheit: die sich inkarnierende Individualität in ihrem Verhältnis zu der aus der Vererbung stammenden Leiblichkeit.

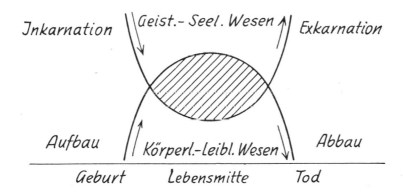

Das Zusammenwirken beider Kurven (schraffierte Zone) macht für jedes Lebensalter anschaulich, wie stark sich die menschliche Individualität jeweils mit der Leiblichkeit verbindet. Eine Art «Verkörperungsindex» der Lebensalter wird ablesbar, der allerdings je nach Individualität und Organbereich modifiziert werden müßte.

Von oben her also beginnt die geistig-seelische Wesenheit des Kindes, seine Individualität, sich in die ihr entgegenwachsende Körperlichkeit einzusenken, sie nach und nach durchorganisierend und durchdringend. Und wirklich ist, auch rein physiologisch gesehen, die Situation des sich zur Geburt anschickenden Kindes vergleichbar der eines Menschen, der von den höchsten Gipfeln des Hochgebirges in das Land hinabschaut, das er nun betreten will. Verschiedene Forscher (Anselmino und Hoffmann 1931, Eppinger 1937, Eastman 1954) haben darauf hingewiesen, daß die Verhältnisse im kindlichen Blut kurz vor der Geburt in bezug auf Eisengehalt und Sauerstoffspannung ganz denen eines Bergsteigers in 9000–10 000 m Höhe gleichen (also in einer Höhe, die die der höchsten Berge noch um 1000 m übersteigt).

Von oben nach unten geht der Weg der sich verkörpernden Individualität. Das ist ganz wörtlich zu nehmen, auch in bezug auf die körperliche Entwicklung. Diese schreitet ja in der Richtung vom Kopf zu den Füßen fort. Wir groß ist doch schon der Kopf des Neugeborenen im Verhältnis zum übrigen Körper! 1 zu 3 beträgt dieses Verhältnis gegenüber 1 zu 7 beim Erwachsenen. Gehen wir noch weiter zurück in die vorgeburtliche Zeit, so verschiebt sich das Verhältnis immer mehr zugunsten des Kopfes. Im zweiten Monat der Embryonalzeit beträgt es 1 zu 1, d. h. der Kopf allein ist gerade so hoch wie der ganze übrige Körper – Rumpf und Gliedmaßen – zusammen. Betrachten wir gar die Höhe des besonders vorgeschrittenen Stirnanteils des Kopfes im Vergleich zu den erst keimhaft angedeuteten Gliedmaßen im gleichen Zeitpunkt (2. Monat), so wird das Verhältnis grotesk: die Stirn allein ist doppelt so hoch wie die Beine in ihrer Gesamtlänge, Oberschenkel und Unterschenkel zusammen! Der Kopf ist anfangs führend in der Entwicklung, von hier aus beginnt die geistige Individualität des Kindes ihren Abstieg in die Körperlichkeit. Erst später greift der Wachstumsimpuls auf Rumpf und Gliedmaßen über, während dann der Kopf immer mehr im Wachstum zurückbleibt.

Die kosmisch-rundenden Formtendenzen des Kopfes geben der ersten Kinderzeit aber nicht nur durch die erwähnten Proportionen das Gepräge, sondern sie setzen sich ganzheitlich gestaltend auch auf den übrigen Organismus fort. Ungegliedert ist noch der Rumpf des kleinen Kindes, walzenförmig, wie man sagt; sein Querschnitt ist kreisförmig, noch nicht von vorn nach hinten abgeplattet wie beim Erwachsenen. Die einzelnen Organe unterliegen ebenfalls dem Einfluß der vom Kopf ausgehenden rundenden Bildungstendenzen. So ist, um nur ein Beispiel herauszugreifen, das Herz des kleinen Kindes kugelförmig, während es später eine gestrecktere Gestalt erhält. Auch die Haltung des ganzen Körpers und der Gliedmaßen zeigt abschließende, sich rundende Gesten. Die Arme sind an den Körper gewinkelt, die Fäustchen geballt, die Beinchen O-förmig. Die embryonale Körperhaltung bildet annähernd einen Kreis, so daß sich Stirn und Beine fast berühren. Als Rest dieser vorgeburtlichen zusammengerollten Haltung hat ja das kleine Kind eine Fähigkeit, die wir uns als Erwachsene höchstens durch angestrengte akrobatische Übungen wieder erwerben können, nämlich die, den großen Zeh mühelos in den Mund zu stecken, wobei sich oberer und unterer Pol des Organismus wieder zum Kreise schließen. Alles weist auf den ganzheitlich in sich geschlossenen Charakter der ersten Kinderzeit hin, aus dem z. B. auch der Einwärtsgang des kleinen Kindes verständlich wird, der bis in das frühe Schulalter «normal» ist.

Die zusammengekrümmte Haltung des embryonalen Körpers hat ihr Vorbild in einem seiner Organe – wiederum im Kopfbereich –, nämlich in der spiralig zusammengekrümmten Bildung des menschlichen Großhirns, bei dem Stirnhirn und Schläfenhirn, die nebeneinanderliegen, Anfang und Ende einer Spirale darstellen. Davon kann man sich auf einer seitlichen Abbildung des Gehirns und besonders beim Verfolgen seiner Entwicklung überzeugen. Man hat deshalb die Grundstruktur des menschlichen Großhirns mit der in sich zurückgebogenen Form eines Widderhorns verglichen. Aber das Gehirn behält diese Haltung während der ganzen Lebenszeit des Menschen bei. Es konserviert damit für sich einen embryonalen Zustand, wie es das auch in anderer Beziehung tut. So schwimmt das Gehirn zeitlebens im Gehirnwasser, wie das Kind während der Embryonalzeit im Fruchtwasser. Das Gehirn bleibt auf dieser Stufe stehen, es macht die Entwicklung des übrigen Organismus nicht weiter mit, es isoliert sich davon. Die Wachstumskräfte ziehen sich bald nach der Geburt aus ihm zurück, die Nervenzellen können sich nun nicht weiter vermehren und, einmal zerstört, nicht wieder ersetzen. In diesem fast abgestorbenen, äußerst empfindlichen Zustand hebt sich das Gehirn in seiner Knochenkapsel aus den Körpervorgängen heraus. Die Austausch- und Stoffwechselvorgänge der Körpersäfte machen vor dem Gehirn und dem Gehirnwasser weitgehend halt; eine funktionelle Schranke ist hier aufgerichtet, die man als Blut-Hirn-Schranke bzw. als Blut-Liquor-Schranke bezeichnet.

Die formenden Kräfte des Hauptes, die so bald schon beginnen, sich aus dem Gehirn und aus dem Bereich des Kopfes überhaupt herauszuziehen, vermögen beim kleinen Kinde ihren Einfluß noch auf die gesamte Körperform zu erstrecken. Die zum Kugelförmigen strebende Gesamtkörperform des kleinen Kindes findet ihre Begrenzung und damit ihren Ausdruck in der H a u t , die entwicklungsgeschichtlich aus dem gleichen Keimblatt stammt wie das Gehirn. Die Haut ist aber nicht, wie man sich häufig vorstellt, nur eine Art Überzug über die bereits fertige Gestalt, sondern sie stellt selber ein aktiv formschöpferisches Prinzip dar*. Damit gewinnt sie eine besondere Bedeutung gerade für die erste Kindheitszeit, die es mit der grundlegenden Ausbildung der leiblichen Form zu tun hat**. So beurteilt

---

* Die Beziehung der Haut zu den Formkräften geht auch daraus hervor, daß sie dasjenige Organ ist, welches die untrüglichsten Formmerkmale liefert, um einen Menschen zu identifizieren. Das hat sich die Kriminalistik zunutze gemacht, wenn sie Fingerabdrücke nehmen läßt. Die Linien der Fingerspitzen sind schon beim Neugeborenen genau festgelegt und bleiben unverändert das ganze Leben lang. (Bei einer Betrachtung der Finger im Sinne der Dreigliederung stellen die Fingerspitzen den K o p f bzw. den Sinnes-Nerven-Anteil des Fingers dar!)

** Daß übrigens die kleinen Kinder selbst manchmal eine instinktive Anschauung von der formschöpferischen Potenz der Haut haben, lehrt folgende Anekdote: Ein kleines Mädchen, dem man eben beigebracht hatte, daß Gott die ersten Menschen erschaffen hatte, fragte auf einem dieser Belehrung folgenden Spaziergang bei jedem Entgegenkommenden: «Und wer hat diese Frau gemacht?» «Und wer diesen Mann?» etc. Als es jedesmal die Antwort erhielt, daß Gott auch diesen Menschen geschaffen habe, rief es endlich überwältigt aus: «Wo nimmt der Liebe Gott nur die viele Haut her!»

der Arzt den Gesundheitszustand des kleinen Kindes weitgehend nach der Beschaffenheit der Haut. Ob sie rosig ist oder blaß, glänzend oder matt, quellend gespannt oder schlaff, das alles gibt ihm unter Umständen mehr Anhaltspunkte als ein spezieller Organbefund, der ihn beim Erwachsenen leiten würde.

Die Haut selber wird beim kleinen Kind häufig zum Schauplatz typischer Krankheitserscheinungen: Milchschorf, Gneis, Intertrigo, nässende Ekzeme, Impetigo; großenteils Erscheinungen, die man unter dem Begriff der sogenannten exsudativen Diathese zusammenfaßt. Auch die Kinderkrankheiten spielen sich ja bei ihren charakteristischen Vertretern vor allem auf der Haut ab. Mit «Kinderkrankheiten» sind im folgenden nicht die im Kindesalter auftretenden Krankheiten überhaupt gemeint, sondern die eigentlichen exanthematischen Kinderkrankheiten im engeren Wortsinn, die das Maximum ihres Vorkommens im ersten Jahrsiebent haben, also Scharlach, Masern, Windpocken usw.

Nicht nur in der äußeren Leibesgestaltung, sondern auch in den Tätigkeiten des Kindes spricht sich die Neigung zu abrundenden, geschlossenen Formen aus. Denken wir an die kreisförmig-trudelnden Bewegungen des kleinen Kindes, an seine Freude an den – heute allerdings leider fast ausgestorbenen – Kreisspielen, an die Kreise, Wirbel und Schwünge der frühen Kinderzeichnungen.

Kurz, wollten wir uns das Wesen dieses ersten Lebensalters bildhaftfigürlich vor Augen stellen, so könnten wir auf keine andere Figur verfallen als den Kreis bzw. die Kugel. Das Streben nach der Kugelform hatten wir als Grundtendenz der Hauptesbildung erkannt und gesehen, wie sich diese Tendenz beim kleinen Kinde über die gesamte Körperform erstreckt. Es ist kein Zufall, daß dasjenige Organ, das diese Kugelform in nahezu idealer Weise verwirklicht, das Auge nämlich, sich im Kopfbereich findet und daß es sich dabei gerade um das repräsentative S i n n e s o r g a n handelt. «Das kleine Kind ist ganz Sinnesorgan» (7), sagte Rudolf Steiner. Machen wir, um diesen Satz von unseren Voraussetzungen aus zu verstehen, einmal ein Gedankenexperiment und denken uns die vorgestellte Kugel, die uns das Wesen der ersten kindlichen Lebensepoche symbolisieren soll, auf ihrer ganzen Oberfläche mit einem spiegelnden Belag versehen, so erhalten wir einen Universalspiegel, der uns das Bild der Umwelt nicht nur in einer Richtung wiedergibt, sondern der den ganzen Kosmos, nah und fern, in jeder Richtung spiegelt; etwa so wie die glänzenden Kugeln, die manchmal an den Weihnachtsbaum gehängt werden. Als einen solchen Universalspiegel, als ein Universalsinnesorgan, können wir uns nach dem oben zitierten Satze Rudolf Steiners das kleine Kind vorstellen (Abb. 4); aber als ein

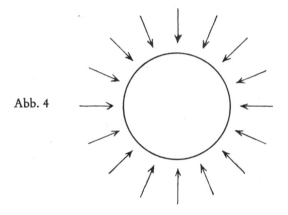

Abb. 4

Sinnesorgan, das seine Umgebung nicht nur reflektiert wie der Spiegel, sondern das alles, was in ihr vorgeht, zutiefst in sein Wesen aufnimmt und nachahmt: «Es gibt zwei Zauberworte, welche angeben, wie das Kind in ein Verhältnis zu seiner Umgebung tritt. Diese sind: N a c h a h m u n g und V o r b i l d. Der griechische Philosoph Aristoteles hat den Menschen das nachahmendste der Tiere genannt; für kein Lebensalter gilt dieser Ausspruch mehr als für das kindliche bis zum Zahnwechsel. Was in der physischen Umgebung vorgeht, das ahmt das Kind nach, und im Nachahmen gießen sich seine physischen Organe in die Formen, die ihnen dann bleiben. Man muß die physische Umgebung nur in dem denkbar weitesten Sinne nehmen. Zu ihr gehört nicht etwa nur, was materiell um das Kind herum vorgeht, sondern alles, was sich in des Kindes Umgebung abspielt, was von seinen Sinnen wahrgenommen werden kann, was vom physischen Raum aus auf seine Geisteskräfte wirken kann. Dazu gehören auch alle moralischen oder unmoralischen, alle gescheiten und törichten Handlungen, die es sehen kann. Nicht moralische Redensarten, nicht vernünftige Belehrungen wirken auf das Kind in der angegebenen Richtung, sondern dasjenige, was die Erwachsenen in seiner Umgebung sichtbar vor seinen Augen tun» (3). Nachahmung und Vorbild sind damit die Zauberworte auch für die Erziehung des kleinen Kindes.

Was heißt nun «Nachahmung» auf das medizinische Gebiet übertragen? Nichts anderes als: Ansteckung, Infektion. A n s t e c k u n g ist die Nachahmung der Krankheit eines anderen. Ich nehme mir die gleiche Krankheit zum Vorbild, die ein anderer Mensch hat. (Auf etwaige kausale Zusammenhänge, die Rolle der Bakterien, Viren usw. soll hier nicht eingegangen werden, sondern es sollen nur die der unmittelbaren Anschauung vorliegenden Phänomene betrachtet werden.) Es gibt nun keine andere menschliche Lebenszeit, die so empfänglich ist für Ansteckungen aller Art, wie gerade die erste Kinderzeit. Vor allem die typischen exanthematischen K i n d e r - k r a n k h e i t e n , die ihre innere Verwandtschaft zu dieser Lebensepoche ja schon durch die starke Beteiligung der H a u t bekunden, gehören zu den eminent ansteckenden Krankheiten.

Die Kinderkrankheiten sind Fieberkrankheiten. Damit entsprechen sie wieder dem ganzheitlich-geschlossenen Charakter der ersten Lebensepoche, denn im F i e b e r haben wir es ja mit einem Vorgang zu tun, der sich nicht auf einen Teil des Organismus beschränkt, sondern der als einheitlicher Wärmeprozeß den ganzen Organismus durchdringt. Deshalb gehen diese Krankheiten auch mit einer starken Beeinträchtigung des A l l g e m e i n befindens einher.

Noch etwas ist kennzeichnend für die Kinderkrankheiten: sie werden zu den «z y k l i s c h e n Infektionskrankheiten» (8) gerechnet, d. h. zu denjenigen Krankheiten, die eine bestimmte Abfolge von Stadien in gesetzmäßiger Weise durchlaufen, die sich zeitlich recht genau bestimmen lassen. (Vorausgesetzt ist dabei allerdings, daß die Krankheit ohne Komplikationen verläuft; sonst kommt nämlich ein anderer Einschlag hinzu.) Eine solche Kinderkrankheit bildet dadurch eine Art geschlossene Zeitgestalt. Sie hat etwas von dem Werden und Vergehen und dem zeitlich in sich geschlossenen Verlauf eines lebendigen Organismus, der sich stufenweise zu einem Höhepunkt entwickelt, um dann wieder aus der Erscheinung zu verschwinden. Wie eine Pflanze aus dem Samen Blatt und Blüte hervortreibt, in der Frucht wieder den Samen bildet und damit den Kreislauf schließt, so durchläuft auch eine solche «zyklische» Kinderkrankheit verschiedene Stadien, um am Schluß, nach einer genau bestimmbaren Zeit, wieder den Ausgangspunkt, die Gesundheit, zu erreichen.

Wenn wir einen solchen Verlauf graphisch darstellen wollen, müssen wir wiederum zum Bild des Kreises greifen, wie schon vorher, als wir dieses Lebensalter als Ganzes zu charakterisieren versuchten. Machen wir uns das einmal am Beispiel der Masern klar (Abb. 5). Da folgt auf eine elftägige Inkubationszeit, in der die Krankheit noch unsichtbar ist wie das Samenkorn im Boden, ein etwa drei Tage währendes katarrhalisches Vorstadium, bis dann genau vierzehn Tage nach der Ansteckung die Krankheit in dem rotfleckigen Hautausschlag zu ihrer charakteristischen Erscheinung erblüht. Der Aus-

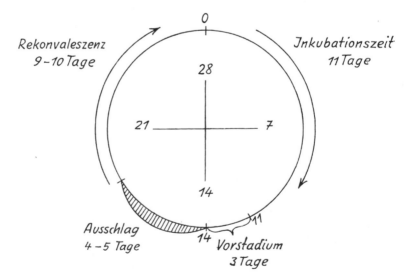

Abb. 5   Schema des Masernverlaufs.

schlag beginnt am Kopf und breitet sich, der allgemeinen Entwicklungsrichtung des Kindes folgend, von oben nach unten über den Körper aus. Das dauert vier bis fünf Tage. Dann beginnt die Abschuppung, mit der die neun bis zehn Tage dauernde Rekonvaleszenz eingeleitet wird. In diesem letzten Stadium erwächst die eigentliche Frucht der Krankheit.

In ähnlicher Weise ist auch der Ablauf der anderen Kinderkrankheiten ein recht genau bestimmter. Um das Charakteristische eines solchen Krankheitstypus zu erfassen, vergleiche man diesen streng gesetzmäßigen, abgeschlossenen, «berechenbaren» Verlauf mit dem ohne feste Regel sich hinziehenden, unberechenbaren Verlauf einer typischen Erwachsenenkrankheit.

Die Frucht der durchgemachten Kinderkrankheit besteht nun nicht nur darin, daß das Kind nunmehr immun geworden ist, d. h. gefeit gegen eine nochmalige Erkrankung gleicher Art, sondern sie zeigt sich vor allem in einer durchgreifenden Wandlung seines ganzen Wesens und Verhaltens. Fortschritte auf den verschiedensten Gebieten, ja ganz neue Fähigkeiten können plötzlich zum Vorschein kommen. Die Gesichtsbildung ändert sich in feiner, aber doch deutlicher Weise; der Gesichtsausdruck wird wacher, «erwachsener»; mit einem Wort: die Inkarnation des Kindes hat eine Förderung erfahren. «Der ganze Körper war mit Blattern übersät, das Gesicht zugedeckt, und ich lag mehrere Tage blind und in großen Leiden. Man suchte die möglichste Linderung und versprach mir goldene Berge, wenn ich mich ruhig verhalten und das Übel nicht durch Reiben und Kratzen vermehren wollte. Ich gewann es über mich; indessen hielt man uns, nach herrschendem Vorurteil, so warm als möglich und schärfte dadurch nur das Übel. Endlich, nach traurig verflossener Zeit, fiel es mir wie eine Maske vom Gesicht, ohne daß die Blattern eine sichtbare Spur auf der Haut zurückgelassen; a b e r d i e B i l d u n g w a r m e r k l i c h v e r ä n d e r t *. Ich selbst war zufrieden, nur wieder das Tageslicht zu sehen und nach und nach die fleckige Haut zu verlieren; aber andere waren unbarmherzig genug, mich öfters

* Vom Referenten gesperrt.

an den vorigen Zustand zu erinnern; besonders eine sehr lebhafte Tante, die früher Abgötterei mit mir getrieben hatte, konnte mich, selbst noch in späteren Jahren, selten ansehen, ohne auszurufen: ‹Pfui Teufel, Vetter, wie garstig ist Er geworden!› Dann erzählte sie mir umständlich, wie sie sich sonst an mir ergetzt, welches Aufsehen sie erregt, wenn sie mich umhergetragen; und so erfuhr ich frühzeitig, daß uns die Menschen für das Vergnügen, das wir ihnen gewährt haben, sehr oft empfindlich büßen lassen» (9). Diese Tante hat die Wesensveränderung, die das Kind Johann Wolfgang Goethe durch die Pocken – damals noch eine Kinderkrankheit – erfahren hat, deutlich gespürt, aber antipathisch darauf reagiert, weil sie das Kind nun nicht mehr in egoistischer Weise verhätscheln konnte.

Rudolf Steiner sprach davon, daß in den Kinderkrankheiten die Individualität des Kindes eine dramatische Anstrengung unternimmt, um die aus dem elterlichen Vererbungsstrom übernommene Leiblichkeit so umzuformen, daß sie seinem eigenen Wesen entspricht. Wenn wir uns zur Verdeutlichung eines solchen Geschehens noch einmal die Abbildung 3 anschauen, so können wir uns ja vorstellen, daß das gegenseitige Sich-Durchdringen zweier so verschiedener Kräfte-Entitäten, wie sie dort durch die beiden Kurvenanteile dargestellt werden, nicht kampflos vor sich geht. Ein Ausdruck dieses Kampfes sind die Kinderkrankheiten. – Auch die Immunität wird uns in diesem Zusammenhang verständlich: hat sich der Kampf einmal abgespielt, ist die Leiblichkeit umgeformt, so wird eine Wiederholung des gleichen Vorganges sinnlos. Die Kinderkrankheit hat ihre Aufgabe bereits erfüllt.

Ein charakteristisches Phänomen ist die Schuppung der Haut, die bildhaft zeigt, wie Altes nach außen abgestoßen wird, um für Neues Platz zu machen. Besonders heftig pflegt sie beim Scharlach zu sein. Ein extremer Fall lag bei dem Scharlach eines vierjährigen Jungen vor, bei dem sich nicht nur die Haut in ganzen Fetzen schuppte, sondern nach Bericht der Mutter auch die Zunge sich schälte, Finger- und Zehennägel ausfielen, ja sogar die Zähne in ihrem über dem Zahnfleisch liegenden Anteil kariös wurden und sich abstießen. Alles ersetzte sich wieder (die Zähne natürlich erst mit dem Zahnwechsel), und man kann wohl kaum eindringlicher vor Augen geführt bekommen, wie hier durch die Kinderkrankheit eine neue Leiblichkeit geformt wird.

In manchen Fällen aber kann es entweder im Verlauf der Kinderkrankheit selbst oder als Nachkrankheit zu einem Ereignis kommen, das nun das Kind in beinahe unfaßlicher Weise in seiner Entwicklung zurückwirft. Die Individualität, anstatt sich stärker zu offenbaren, scheint plötzlich wieder ins Ungreifbare zu verschwinden. Das Kind, das schon sprechen gelernt hat, wird stumm, ja, es verlernt möglicherweise das Gehen wieder. Auch wenn die Rückentwicklung nicht so tiefgreifend ist, erweist sich das Kind in seinem ganzen Verhalten doch als mehr oder weniger gestört.

Was ist hier geschehen? Die Erkrankung hat, anstatt sich vorwiegend auf der Körperoberfläche abzuspielen, auf dasjenige Organ übergegriffen, das – wie wir sahen – gerade darauf angewiesen ist, nicht von den den übrigen Organismus durchziehenden Vorgängen direkt berührt zu werden. Es ist zu einer Gehirnentzündung, einer Enzephalitis, gekommen. Das Gehirn aber vermag die zerstörten Zellen nicht durch Abschuppung herauszuwerfen und durch neue zu ersetzen wie die Haut, sondern hier kommt es zu bleibenden Zerstörungsprozessen, Narben- und Lückenbildungen. Nicht Wandlung, sondern Zerstörung ist das Ergebnis. Die Inkarnation des Kindes, die sich in der ersten Lebensepoche vorwiegend über das Gehirn vollzieht, ist aufs schwerste gestört.

Die Hirnkomplikationen nach Kinderkrankheiten stellen zwar glücklicherweise immer noch seltene Ereignisse dar, sind aber in den letzten Jahrzehnten deutlich im Zunehmen begriffen. Überhaupt scheint das kindliche Gehirn empfindlicher zu werden, denn nicht nur nach Infektionskrankheiten, sondern durch die mannigfachsten Einwirkungen kommt es immer häufiger zu frühkindlichen Hirnschäden. Drei Lebensabschnitte sind dabei besonders gefährdet: 1. die vorgeburtliche Zeit im Mutterleib, und da vor allem die ersten Monate; 2. der Geburtsvorgang selbst; 3. die ersten drei Lebensjahre. Je früher diese Schädigungen einsetzen, desto eher kommt es nicht nur zu Störungen der Persönlichkeitsoffenbarung und des Verhaltens, sondern auch zu schweren Deformationen vor allem des Gehirns selbst und der Sinnesorgane und im weiteren – da ja, wie wir sahen, die Gesamtgestaltung des Körpers in dieser Bildungsperiode vom Kopfe ausgeht – dann auch zu Mißbildungen des ganzen Körpers.

Besonderes Aufsehen hat es erregt, daß es zu Fehlbildungen des Gehirns und anderer Organe kommen kann, wenn die Mutter während der Schwangerschaft eine Rötelnerkrankung durchmacht. Erst im Jahre 1941 wurde man durch den australischen Augenarzt Gregg auf den Zusammenhang zwischen Röteln der Mutter und Augenmißbildungen beim Kinde aufmerksam. Als man der Sache genauer nachging, stellte es sich heraus, daß noch weitere Mißbildungen auf diesen Zusammenhang zurückzuführen sind, und zwar kommt es dabei auf den Zeitpunkt an, in welchem die Entwicklung des Kindes durch die mütterliche Erkrankung beeinflußt wird. So wird im ersten Schwangerschaftsmonat vorwiegend das Auge, im zweiten das Gehirn und das Herz, im dritten das Gehörorgan betroffen. Man hatte die Röteln bis dahin für eine völlig harmlose Krankheit gehalten. Für die Mutter selbst trifft dies auch zu, nicht aber für das Kind, insbesondere in den ersten drei Monaten der Schwangerschaft.

Einmal aufmerksam geworden, entdeckte man immer mehr Erkrankungen und Schädigungen der werdenden Mutter, die zu embryonalen Entwicklungsstörungen führen können. Dazu zählen: qualitativ schlechte Ernährung der Mutter, Vitaminmangel, aber auch Vitamin-Überdosierung (Vitamin D) (10); ständige übermäßige Lärmeinwirkung; die Pockenschutzimpfung in schwangerem Zustand (11); schwere seelische Schocks während der Schwangerschaft; Röntgenbestrahlungen und der Einfluß radioaktiver Strahlen. Zu diesem letzten Punkt haben uns die Atombombenabwürfe über Hiroshima und Nagasaki trauriges Anschauungsmaterial geliefert. Sieben der neun Frauen, die in Hiroshima zwischen der 4. und 17. Woche ihrer Schwangerschaft den Strahlen exponiert waren, brachten ihre Kinder mit eindeutigen Hirnschädigungen zur Welt (11). Aber auch unter den Kindern, die nicht unter dem direkten Einfluß der Atombomben standen, sondern in dem Jahrzehnt nach dem Abwurf der Bombe in Hiroshima geboren wurden, war die

Zahl der Mißbildungen stark vermehrt (12). – Der Bayreuther Kinderkliniker Dr. Beck hat eine Zunahme der Mißbildungen auch bei uns angegeben und diese mit der zunehmenden radioaktiven Luftverseuchung und dem auch in die Nahrungsmittel eindringenden «fallout» der Atombombenversuche in Zusammenhang gebracht (13).

Eine weitere Möglichkeit für einen frühkindlichen Hirnschaden liegt in der zu langsam oder zu schnell verlaufenden Geburt. Es kann dabei zu mangelnder Durchblutung des Gehirns oder zu Blutungen in das Gehirn kommen. Dabei werden die empfindlichen Nervenzellen (Ganglienzellen) in den betroffenen Partien geschädigt. Wenn sie zugrunde gehen, können sie sich, wie erwähnt, nicht regenerieren: es kommt zu bleibenden Gehirnschädigungen. Deshalb muß die Geburtsleitung schonend sein. Ein bestimmter Geburtstermin dürfte nur aus lebensentscheidenden Gründen erzwungen werden, niemals aber aus Opportunität oder Bequemlichkeit («Geburten nur vormittags!»). – Schließlich kann es auch nach der Geburt, besonders während der ersten drei Jahre, zu einer Hirnkomplikation kommen. Die Erkrankung kann dabei unter Fiebererscheinung ablaufen oder auch völlig unmerklich; dann kann man erst aus den Folgeerscheinungen auf eine durchgemachte Gehirnerkrankung schließen.

Daß gerade die ersten drei Jahre der Kindheit für Hirninfektionen besonders empfindlich sind, erklärt sich daraus, daß in dieser Lebenszeit die Blutliquorschranke noch nicht vollständig ausgebildet ist (14). Die dahinter stehende spirituelle Besonderheit dieser drei Jahre hat Rudolf Steiner in seinem Buch «Die geistige Führung des Menschen und der Menschheit» (15) dargestellt. Auch bei Schädelunfällen sind die Folgeerscheinungen in den ersten drei Jahren schwerer als in der späteren Kindheit (16).

Es werden hier frühkindliche Hirnschäden und körperliche Mißbildungen als verschiedene Stadien eines grundsätzlich gleichen Vorgangs aufgefaßt, weil, wie wiederholt ausgeführt, die Formung der Gesamtgestalt besonders im Anfang der körperlichen Bildungsperiode vom Kopf bzw. vom Gehirn ausgeht. Auch da, wo die körperliche Bildung schon so weit fortgeschritten ist, daß die Gehirnschädigung nicht mehr zu eigentlichen Mißbildungen führt, sondern nur noch zu sogenannten Verhaltensstörungen, zeigt sich einer genaueren Beobachtung doch, daß die Durchformung des Körpers gelitten hat. Die Kinder sind gewöhnlich kleiner und zeigen veränderte Proportionen dadurch, daß einzelne Körperteile – Finger, Zehen, Hände, Füße, Thorax, Rumpf, Kopf – in individuell wechselnder Verteilung stärker im Wachstum zurückgeblieben sind. Die Gesichtszüge haben häufig etwa Verwischtes und zeigen keine prägnanten Formen (17). Bei den leichteren Graden der frühkindlichen Hirnschädigung kommt es nicht zu Störungen der Sprache und der Intelligenz. Diese leichteren Grade sind aber so häufig – nach neueren Untersuchungen (4) werden 17 % der Schulanfänger davon betroffen –, daß es gut ist, etwas von den weniger auffallenden Symptomen zu wissen, die dabei in wechselnder Auswahl und Intensität auftreten können:

Es handelt sich um Kinder, die «nervös» wirken. Sie sind unruhig, zappelig und fahrig in ihren Bewegungen. Sie weinen leicht, sind aber auch schnell wieder zu beruhigen. Gegen Sinnesreize, besonders gegen Lärm sind sie empfindlich und fahren bei Geräuschen schreckhaft zusammen. Ihre Leistungsfähigkeit ist außerordentlich schwankend.

Die Ungeschicklichkeit dieser Kinder betrifft vor allem die bewußt gestaltete Bewegung. Sie äußert sich z. B. in der schlechten Handschrift, aber auch bei der Handarbeit. Dagegen sind die mehr instinktiv aus der Körperlichkeit entspringenden Bewegungsformen, auf die es beim Spielen, Radfahren, Skifahren etc. ankommt, häufig ungestört. Gegenüber anderen Menschen fällt eine gewisse Distanzstörung auf. Sie passen sich einer neuen Umgebung äußerlich schnell an und sind sofort mit Unbekannten gut Freund, ohne zu «fremdeln». Was so zunächst als eine besonders gute Kontaktfähigkeit imponiert, ist in Wirklichkeit der erste Grad einer Kontaktstörung, die dann bei schweren Hirnschädigungen zu völliger Aufhebung der mitmenschlichen Beziehungen führen kann. Diese Kinder nehmen das Individuelle im anderen Menschen nicht genügend wahr. Es ist ihnen weitgehend «gleichgültig», mit wem sie es zu tun haben. Deshalb kommt der oberflächliche Kontakt so schnell zustande. Sie vermögen das Unverwechselbare, das von jedem Menschen ausgeht, nicht zu erspüren und ihr Verhalten darauf einzustellen. Deshalb werden sie von den Erwachsenen leicht als «auf die Nerven fallend» empfunden und geraten in die Gefahr, von ihren Mitschülern abgelehnt zu werden. – Rudolf Steiner hat ausgeführt (5), daß der Kreis unserer Sinneswahrnehmungen wesentlich größer ist, als der von den klassischen fünf Sinnen umfaßte. So gibt es auch einen Sinn für die «Ich-Wahrnehmung» des anderen Menschen. Dieser Sinn ist bei solchen Kindern schwach ausgebildet.

Viele dieser Kinder kennen keine Angst. Sie rennen über die von dichtem Verkehr erfüllte Straße, sie balancieren auf dem Dachfirst – glücklicherweise meistens, ohne daß ein Unglück geschieht. Aber die Angstlosigkeit deutet ebensowenig auf mutiges Verhalten wie die Distanzlosigkeit auf eine gute Beziehung zu den Mitmenschen. Eigentlicher Mut setzt die Überwindung der Angst voraus; diese wird aber von den Kindern noch gar nicht erlebt. Daß das Angsterlebnis eine notwendige Durchgangsstufe der Ich-Entwicklung darstellt, darauf deutet in sehr realen Bildern das «Märchen von einem, der auszog, das Fürchten zu lernen».

Ein merkwürdiges Symptom bei manchen dieser Kinder ist der sogenannte Bajonettfinger (18): wenn die Finger gestreckt werden, gerät das Endglied eines oder mehrerer Finger paradoxerweise nicht mit in Streckung, sondern in Beugehaltung, und nimmt dadurch eine Sonderstellung ein. Wir sprachen schon davon, daß das Endglied des Fingers eine Beziehung zu den Kopfkräften besitzt. Es wird dadurch der Zusammenhang zwischen Hirnschädigung und diesem eigenartigen Fingersymptom verständlich. Der Bajonettfinger ist höchst charakteristisch und weist mit großer Sicherheit auf eine frühkindliche Hirnschädigung hin.

Daß die ganzheitlich-zusammenfassende, gestaltende Funktion des Gehirns das Seelenleben der Kinder nicht genügend durchdringt, zeigt sich in einem Symptom, das als Störung der «Figur-Hintergrund-Differenzierung» (19) bezeichnet wird: die Kinder vermögen

Haupt- und Nebensache nicht mehr zu unterscheiden. Sie sehen z. B. auf einer Zeichnung wohl alle Striche und Linien, aber sie haben große Schwierigkeiten, das Bild zu entdecken, das daraus entsteht. Sie erfassen die Einzelheiten, aber nicht das Ganze. Sie sehen den Wald vor Bäumen nicht mehr.

Wenn man auf solche Symptome aufmerksam werden und sich den Verdacht auf eine frühkindliche Hirnschädigung ärztlich bestätigen lassen kann, dann ist man eher in der Lage, diese Kinder richtig zu beurteilen und zu behandeln. Andernfalls gerät man in Gefahr, ihr störendes Verhalten, ihre schwankende Leistungsfähigkeit etc. moralisch zu nehmen anstatt als Ausdruck einer organischen Schädigung. Aber Strafen und Anforderungen, denen sie nicht gewachsen sind, verschlimmern die Situation nur. Dagegen können im Laufe einer verständnisvoll geleiteten Schulentwicklung, unterstützt durch ärztliche Behandlung, diese Erscheinungen sich in überraschender Weise bessern, so daß das Kind später als ein leistungsfähiger Mensch ins Leben tritt. – Diese leicht hirngeschädigten Kinder soll man trotz der im allgemeinen ungestörten Intelligenz lieber später als früher einschulen. Man gibt ihnen dadurch ein größeres Maß von der bei ihnen nicht altersentsprechend entwickelten Durchhaltekraft mit und erspart ihnen Rückschläge und Krisen.

Angesichts der vielen Möglichkeiten – es wurden längst nicht alle aufgezählt –, die zu einer frühkindlichen Hirnschädigung führen, könnte sich leicht ein gewisser Pessimismus einstellen. Das wäre aber ganz unberechtigt. Man hat ja bis vor kurzem fast alle angeborenen Hirnschäden und Mißbildungen auf Vererbung zurückgeführt und auf diese falsche wissenschaftliche Anschauung die einschneidendsten eugenetischen Maßnahmen gegründet. Wenn sich nun herausgestellt hat, daß äußere Faktoren eine größere Rolle spielen als die fatalistisch aufgefaßte Vererbung, dann ergibt sich daraus die Möglichkeit, den Schäden vorzubeugen. Die äußeren Faktoren sind ja großenteils durch den Menschen selbst hervorgerufen und müssen sich deshalb auch vermeiden lassen. Oder sind zum Beispiel Abtreibungsversuche, Ernährungs- und Strahlenschäden nicht zu vermeiden? Schutz und Gesunderhaltung der werdenden Mutter, das ist hier die dringendste Forderung. Das kann nicht nur in negativem Sinne geschehen, indem die bekannten Schädlichkeiten vermieden werden, sondern auch positiv, wenn die Frau sich auf das Wesen ihres gesegneten Zustandes besinnt. Hierbei können solche Bücher wie «Frühe Kindheit» (20) von Dr. N. Glas oder «Geburt und Kindheit» (21) von Dr. zur Linden eine große Hilfe sein.

Die Bedrohung der in Weltenaltern geschaffenen menschlichen Form ist eine aktuelle Gefahr. Dieser Gefahr gegenüber sind ganz neuartige Wege erforderlich, um die Formkräfte aktiv zu machen. Dabei muß man vor allem an die von Rudolf Steiner geschaffene Eurythmie denken. Rudolf Steiner sagte dazu vor Ärzten: «Denn Sie rufen ja im konsonantischen Eurythmisieren eben die wirksamen, die objektiv wirksamen Imaginationen hervor, die Deformierungen ausgleichen. I n d e r Z u k u n f t w e r d e n d i e M e n s c h e n ü b e r h a u p t i n d e r m a n n i g f a l t i g s t e n W e i s e z u D e f o r m i e r u n g e n n e i g e n *, weil sie nicht mehr mit den unwillkürlich wirksamen Kräften die normalisierende Gestalt werden bilden können. Der Mensch wird frei; er wird sogar frei werden nach und nach in bezug auf die Bildung seiner eigenen Gestalt, aber er muß dann mit der Freiheit etwas anfangen können. Er muß also übergehen zu dem Erzeugen von Imaginationen (gemeint ist hier das konsonantische Eurythmisieren), die dem Deformieren immer entgegenwirken» (24).

Fragt man sich nach dem Zusammenhang der beiden besprochenen Krankheitsgruppen, der Kinderkrankheiten einerseits und der frühkindlichen Hirnschäden (Enzephalitis) andererseits, und nach ihrer Beziehung zu den ersten Lebensjahren des Kindes, so findet man, daß beide es mit der Ausgestaltung der kindlichen Leibesform zu tun haben, was ja das Charakteristikum der ersten Lebensepoche bedeutet. Aber beide wirken in entgegengesetztem Sinne. Während eine Kinderkrankheit im allgemeinen eine verstärkte Durchformung zur Folge hat, führt die Enzephalitis zu einer gröberen oder feineren Deformität. Die Kinderkrankheit spielt sich vorwiegend auf der Körperoberfläche, der Haut, ab; die Enzephalitis im Körperinnern,

---

* Vom Referenten gesperrt.

im Gehirn. Die Kinderkrankheit führt zu einer Wandlung, die Enzephalitis zur Zerstörung.

Wenn man sich nun vor Augen hält, daß gerade diejenigen Kinderkrankheiten, die sich wenig oder gar nicht auf der Haut abspielen, wie vor allem der Keuchhusten, am ehesten eine Enzephalitis nach sich ziehen, während die am heftigsten zu Hautreaktionen neigende Kinderkrankheit, der Scharlach, fast nie zur Enzephalitis führt, so können einem beide Krankheitsgruppen wie zwei Seiten einer Waage erscheinen, deren eine Schale sich senkt, wenn die andere steigt. Da kann es nachdenklich machen, daß die Hirnschädigungen ständig zunehmen, während man die Kinderkrankheiten durch Impfungen und ausschaltende Behandlung immer mehr zu verringern bemüht ist.

Haut und Gehirn hängen dadurch zusammen, daß beide in der Embryonalentwicklung einmal aus dem gleichen Keimblatt (primäres Ektoderm) entstanden sind. Diese Bildung geht so vor sich, daß ein Teil der Hautoberfläche sich abfaltet und ins Körperinnere verlagert (Abb. 6).

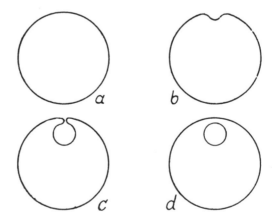

Abb. 6   Entwicklung des Nervensystems.

Es entstehen so zwei Gebilde, ein peripheres und ein zentrales, zwei Kreise (im Querschnitt), die trotz äußerer Trennung einen inneren Zusammenhang wahren. Auf Grund dieser Tatsachen hat ein Forscher (L. van Bogaerts) die Theorie entwickelt, daß Haut und Hirn stellvertretend füreinander eintreten können. Kommt es bei einer Infektionskrankheit aus irgendeinem Grunde nicht zu einer Hautreaktion, so wird dafür das Gehirn betroffen. Um die Richtigkeit dieser Theorie nachzuprüfen, hat ein Schweizer Nervenarzt (H. Schmid) folgenden Versuch gemacht (25): Er übertrug die Pockenkrankheit auf Kaninchen, verhinderte aber gleichzeitig durch bestimmte Maßnahmen, daß die Krankheit sich auf der Haut abspielte. Es kam dann mit großer Regelmäßigkeit zu einer Gehirnschädigung (Enzephalitis). – Nun sind Tierversuche nicht ohne weiteres auf den Menschen übertragbar. Beachten muß man aber solche Ergebnisse doch, besonders wenn man bedenkt, daß ja auch beim Menschen die Pockenschutzimpfung in seltenen Fällen zu einer Gehirnschädigung führt.

Es gehört zur Problematik der Schutzimpfungen, daß man sich die Frage vorlegt: wird vielleicht durch die Impfung das Krankheitsgeschehen gar nicht verhütet, sondern nur verlagert? Hierher gehört auch folgende Beobachtung: Ein Untersuchungs-Komitee des medizinischen Forschungsrates in Großbritannien hat festgestellt, daß Kinder, die gegen Diphtherie und Keuchhusten geimpft wurden, dreimal häufiger an Kinderlähmung erkrankten als die ungeimpften (26). Dabei zeigte sich, daß die Lähmung die geimpfte Körperseite bevorzugte (27).

Sobald wir uns klarmachen, wie das im Vorangehenden versucht wurde, daß die Kinderkrankheiten eine positive Aufgabe für die Inkarnation des Kindes haben, wird ihre Verhütung durch Impfung noch problematischer. Obgleich wahrnehmbare Schäden glücklicherweise selten sind, stellt die Impfung doch in jedem Fall einen Eingriff in die ganze körperlich-seelisch-geistige Konstitution des Kindes dar. Dabei gilt es nicht nur, die erwähnten Verlagerungen und sog. Nebenwirkungen zu berücksichtigen, sondern auch die Folgen für die spätere seelische Entwicklung des Kindes. Man braucht nicht zum grundsätzlichen Impfgegner zu werden, wohl aber zum Gegner der bedenkenlosen Impfung. Denn jede Impfung hat außer der Ausschaltung einer bestimmten Krankheitsmöglichkeit auch Folgen, die das Kind als Ganzes betreffen. Das geht z. B. aus folgender Untersuchung (6) hervor: Bei 24 von 58 gesunden Erstimpflingen fanden sich am Tage der Nachschau, also 8 Tage nach der Pockenschutzimpfung, Veränderungen im Hirnstrombild (EEG). Diese Veränderungen waren im allgemeinen nach 3 Monaten wieder abgeklungen. Bei einem der Kinder blieb allerdings ein pathologisches Hirnstrombild bestehen. Hier hat also eine verfeinerte Untersuchungsmethode aufgezeigt, daß das Gehirn auch dann auf die Pockenschutzimpfung reagiert, wenn es nicht zu einer schweren Schädigung (Enzephalitis) kommt. Das braucht einen nicht von einer notwendigen Impfung abzuhalten, wenn man weiß, daß solche feineren Folgen wieder ausgeglichen werden können, z. B. durch eine spirituelle Erziehung. Wie umfassend das Impfproblem ist, kann schlaglichtartig erhellt werden durch eine Äußerung Rudolf Steiners in dem Vortragszyklus «Die Offenbarungen des Karma» (das Nähere muß dort nachgelesen werden): «Wenn man auf der einen Seite Hygiene übt, muß man andererseits die Verpflichtung fühlen, den Menschen, deren Organisation man umgewandelt hat, auch etwas für die Seele zu geben. Impfung wird keinem Menschen schaden, welcher nach der Impfung im späteren Leben eine spirituelle Erziehung erhält» (28).

Wenn wir am Schlusse dieses Kapitels das bisher Betrachtete überblicken, so müssen wir uns sagen, daß wir nur einen kleinen Ausschnitt aus der Fülle der Erkrankungsmöglichkeiten herausgegriffen haben. Nur die Kinderkrankheiten und die frühkindlichen Hirnschäden wurden berücksichtigt. Aber da es alle Erkrankungen dieser Lebensepoche mehr oder weniger mit der Herausbildung der menschlichen Leibesform zu tun haben, so schien es möglich, sich auf die beiden Krankheitsgruppen zu beschränken, bei denen sich dieser Vorgang in seiner Bedeutung für die kindliche Entwicklung beispielhaft zeigt. Beide tragen die «Kopfsignatur» der ersten Lebensepoche, aber beide tragen sie in entgegengesetzter Weise. Die Kinderkrankheiten befallen vorwiegend die Haut, dasjenige Organ, in dem sich die vom Kopf ausgehenden plastischen Kräfte auf die Gesamtgestaltung des Körpers auswirken. Die Hirnschäden betreffen das Gehirn selbst. Die Kinderkrankheiten fördern die Entwicklung des Kindes, sie wirken in der Richtung der Inkarnation, von oben nach unten. – Durch die frühkindlichen Hirnkomplikationen wird das Kind in seiner Persönlichkeitsoffenbarung gehemmt, es schreckt zurück vor der Inkarnation. Gerade diese Erkrankungen fordern uns deshalb zu intensiven pädagogischen, heilpädagogischen und medizinischen Anstrengungen auf, um dem zurückweichenden Wesen des Kindes dennoch den Weg in die irdische Verkörperung zu bahnen.

Das zweite Jahrsiebent

Das rhythmische Lebensalter

Das zahnlückige Gesicht des Schulanfängers sagt uns in einer unser Gemüt immer wieder leise rührenden Weise, daß wir es hier mit einem Übergangswesen zu tun haben, das nicht nur in seiner Lebensführung übergeht von der Geborgenheit des Elternhauses zu einem Wechsel zwischen Elternhaus und Schule, sondern das auch in seiner ganzen feineren Struktur übergeht von einer Lebensphase in die nächste (3). – Der geschlossene Bogen (im Ober- und Unterkiefer je ein Halbkreis) der gleichmäßigen, regelmäßig stehenden, bläulichweißen Milchzähnchen bekommt Lücken, in die sich in einem genauen Rhythmus die größeren, unregelmäßiger stehenden, gelblichweißen zweiten Zähne schieben. Dieser Wechsel zieht sich über die ganze zweite Lebensepoche hin; wir haben es mit der Periode des Zahnwechsels zu tun. Man sieht es deutlich: die geschlossene Form der ersten Lebensepoche löst sich auf zugunsten eines in der Zeit verlaufenden wechselnden Geschehens.

Die ganze vorher einheitliche Gestalt gliedert sich. Der flache Rücken des Kleinkindes gerät jetzt in ein rhythmisches Schwingen, indem sich die doppelt S-förmigen Kurvaturen der Wirbelsäule ausbilden. Die Taille beginnt sich abzuzeichnen (29). Der Hals wird länger und kräftiger. Damit grenzt sich zwischen Hals und Taille diejenige Region ab, die nun für diese Lebensepoche in ähnlicher Weise tonangebend wird wie der Kopf für die vorangehende: Der Brustkorb mit der rhythmischen Anordnung seiner Rippen, Zwischenrippenmuskeln, Nerven und Blutgefäße, mit der zwischen Ausdehnung und Zusammenziehung wechselnden Funktion seiner Innenorgane, des Herzens und der Lunge.

Der Kopf wiederholt im kleinen die gleiche Akzentverschiebung. Hatte beim Kleinkind die mächtige Stirnpartie dominiert, so beginnt nun das Mittelgesicht sich stärker auszudehnen, namentlich dadurch, daß erst jetzt die innerhalb der sogenannten Backenknochen gelegenen Kieferhöhlen richtig ausgebildet und durchlüftet werden.

Auch die Bewegungsformen spiegeln das veränderte Wesen des Kindes. Der gesunde Schulanfänger geht eigentlich nicht, sondern er springt und hüpft mit dem tanzenden Ranzen auf dem Rücken zur Schule. Beim Spiel werden die gleichförmig-kreisenden und trudelnden Bewegungen des Kleinkindes abgelöst durch rhythmisch-wechselnde wie Hin- und Herspringen, Haken- und Winkelschlagen, Bremsen und Beschleunigen (29). – In den Kinderzeichnungen spricht sich bei Beginn des Zahnwechsels eine Vorliebe für rhythmisch sich wiederholende Gestaltungen aus. Man sieht da etwa ein Gitter oder einen Zaun mit seinen aneinandergefügten Latten, eine Allee mit ihren Bäumen, ein Blumenbeet, in dem die einzelnen Blumen gleichförmig aufgereiht stehen wie die Zinken eines Kammes u. ä. Es entsteht so eine Bilderschrift, durch die das Kind uns sagt: ich werde jetzt ein Wesen, bei dem alles auf den Rhythmus ankommt.

Handelte es sich im ersten Jahrsiebent vor allem um die Formung der Leiblichkeit, um ein räumlich-körperliches Bilden also, so ist das Kind im zweiten Jahrsiebent ganz seinem seelischen Erleben hingegeben. Und dieses Seelische kommt im zeitlichen Verlauf zur Erscheinung, hin- und herschwingend zwischen Sympathie und Antipathie, Freude und Leid, Angst und Mut. Zwischen Sichselbsterfühlen und Hingabe an die Welt wechselt das Kind in seiner Seele, wie es in der Atmung wechselt zwischen dem Einatmen der Luft in das eigene Innere und dem Wiederhinausgeben in die Außenluft. Ebenso soll jede Schulstunde in diesem Alter es wenigstens einmal dazu bringen, daß die kindliche Seele sich zusammenzieht in leiser Rührung und sich wieder ausdehnt in freudigem Erleben. Dann lebt seelisches Atmen im Unterricht; und das braucht das Kind. Solch seelisches Atmen wirkt wieder zurück bis in die gesunde Regulation der physischen Atmung. Diese erlangt gerade in diesem Alter erst ihr endgültiges Verhältnis zur Blutzirkulation. Darauf wird noch zurückzukommen sein. Auch der Blutkreislauf selber wird geformt unter dem Eindruck seelischen Erlebens. Phantasievoll-begeisternder Unterricht rötet die Wangen, läßt den Puls höher schlagen; gedanklich-gedächtnismäßiger Unterricht macht das Kind leicht erblassen, den Puls langsamer. Das sind beim Schulkind nicht nur Augenblickswirkungen, sondern ihre stete gezielte Wiederholung arbeitet mit daran, daß Atmung und Blutkreislauf sich in gesunder Weise für das spätere Leben ausbilden.

War das kleine Kind ganz Sinnesorgan, ganz Spiegel, nach allen Seiten hingegeben an seine Umwelt in der Nachahmung, so gibt es jetzt – pointiert ausgedrückt – eigentlich nur noch e i n e n Punkt, durch den das Kind in innerlich gerechtfertigter Weise mit seiner Umwelt kommunizieren darf, und das ist der Erzieher, der in selbstverständlicher Autorität dem Kinde die Welt vermittelt. «Dasjenige, was das Kind durch seine Wesenheit von uns verlangt, das ist, daß es an uns glauben kann, daß es das instinktive Gefühl haben kann: da steht einer neben mir, der sagt mir etwas. Er kann es sagen, er steht mit der ganzen Welt so in Verbindung, daß er es sagen kann. D e r   i s t   f ü r   m i c h   d e r   V e r m i t t l e r   z w i s c h e n   m i r   u n d   d e m   g a n z e n   K o s m o s *. So steht das Kind, natürlich nicht ausgesprochen, aber instinktiv dem anderen Menschen, namentlich dem lehrenden und erziehenden Menschen gegenüber» (30). Wie die Mutter die Nahrungsstoffe für den Säugling in die ihm einzig zuträgliche Form der Muttermilch umwandelt, so setzt der Lehrer den Unterrichtsstoff in die dem Schulkind einzig zuträgliche Form bildhaft-künstlerischer Darstellung, in pädagogische Muttermilch um. Seelische Nahrung braucht das Schulkind. Wie sich diese Jahr für Jahr differenziert, wie z. B. der Erzählstoff im ersten Schuljahr der Märchenwelt, im zweiten Schuljahr dem Bereich der Fabeln und Legenden, im dritten Schuljahr dem Alten Testament entnommen wird, darüber kann man sich am Lehrplan der Waldorfschule und an den pädagogischen Schriften Rudolf Steiners orientieren.

* Vom Referenten gesperrt.

Wollten wir das bisher über das Wesen des Schulkindes Ausgeführte in ähnlicher Weise durch eine Kurve veranschaulichen, wie wir das für die erste Lebensepoche mit dem Kreis (bzw. der Kugel) getan haben, so müßte diese Kurve dem ständig Wechselnden, Hin- und Herschwingenden im Charakter dieses Lebensalters gerecht werden. Sie müßte außerdem in ihrem Verlauf einen ausgezeichneten Punkt besitzen, der die Vermittlung zwischen zwei verschiedenen Abschnitten darstellt, wie – in übertragenem Sinne – der Erzieher den Vermittler bildet zwischen dem Kinde und der Welt. Eine Kurve mit den geforderten Eigenschaften ist in der Lemniskate in ihren verschiedenen Ausgestaltungen gegeben.

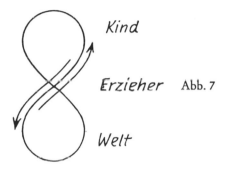

Kind

Erzieher   Abb. 7

Welt

Lemniskatische Formen finden sich gerade im Bereich des mittleren Menschen häufig, z. B. in der Art, wie die Rippenform in den Wirbelbogen übergeht, in den Formen des Blutkreislaufs etc.
Bei Betrachtung dieser Figur (Abb. 7) entdecken wir in ihr die S-Form der Wirbelsäule, wir können sogar die kühne Behauptung aufstellen, daß sie eine Art «Taille» hat. Ihr eigentliches Wesen verrät sie uns aber erst, wenn wir mit dem Finger an ihr entlang fahren, die räumliche Form so in ein zeitliches Geschehen verwandelnd. Dabei entdecken wir, wie nuanciert und beweglich diese Kurve ist. Ständig wechselt sie zwischen oben-unten, rechts-links, innen-außen, sich Entfernen – wieder Zurückkehren. Ein solches wechselndes Geschehen war uns schon bei der Atmung und der Herztätigkeit wie auch im seelischen Erleben des Kindes entgegengetreten.

Wir werden ihm auch im Krankheitsverlauf der zweiten Lebensepoche wieder begegnen. Ein weiteres in der Lemniskate enthaltenes Phänomen, das der «Kreuzung», wird uns in seiner Bedeutung für dieses Lebensalter später noch beschäftigen.

Rhythmisch wechselnden Vorgängen ist das Schulkind in allen seinen Lebensäußerungen unterworfen. Nun liegen im Rhythmischen immer die Gesundungskräfte, der Ausgleich, das Suchen des Gleichgewichts zwischen den in die Einseitigkeit führenden Polaritäten. Wir haben es hier mit dem von Haus aus gesündesten Lebensalter zu tun. Das zeigt uns schon die im vorigen Kapitel wiedergegebene Kurve der Lebensaltersterblichkeit (Abb. 2), die ihr Minimum im 10. Lebensjahr hat.

Es könnte scheinen, als ob von diesem gesündesten Lebensabschnitte der Arzt am wenigsten zu berichten hätte. Und doch sieht er – in scheinbarem Widerspruch zu dem eben Gesagten – gerade Kinder dieses Alters mit Beschwerden wie Kopf- und Leibschmerzen, Übelkeit, Brechreiz, Herzklopfen, Atemstörungen, ohnmachtsähnlichen Anwandlungen sehr häufig in seiner Sprechstunde. Die begleitende Mutter beanstandet das schlechte Aussehen des Kindes, die Schatten unter den Augen, die Appetitlosigkeit, die Nervosität, die Müdigkeit und eventuelle Schlafstörungen. Der Lehrer gibt an, daß das Kind rasch ermüde und in seiner Konzentrationsfähigkeit nachlasse. – Selbst hier bleibt, wenn auch in pathologischer Weise, das rhythmische Element gewahrt, in dem diese mannigfaltigen Erscheinungen in einem ständigen Wechsel sind, anschwellen und wieder abklingen, verschwinden und wieder auftreten. Sie wechseln auch untereinander ab. Dasselbe Kind, das heute wegen seiner Bauchschmerzen in die Schulsprechstunde gebracht wird, erscheint nach einiger Zeit wieder und klagt nun über Kopfschmerzen. Die Herzbeschwerden bilden eine ziemlich konstante Erscheinung innerhalb dieses fluktuierenden Geschehens (Abb. 8).

Bei diesen Zuständen handelt es sich mehr um Störungen des Allgemeinbefindens als um eigentliche definierte Erkrankungen, und damit erklärt sich auch der Widerspruch, daß dieses gesündeste Lebensalter dem Arzt doch so viele Patienten liefert. Das heißt

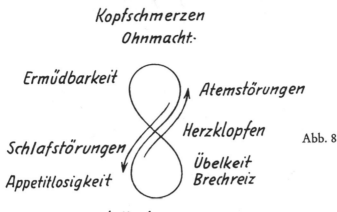

Kopfschmerzen
Ohnmacht·

Ermüdbarkeit   Atemstörungen

                      Herzklopfen   Abb. 8
Schlafstörungen
                      Übelkeit
Appetitlosigkeit   Brechreiz

Leibschmerzen

nicht, daß man diese Dinge nicht ernst nehmen soll. Aus dem, was hier erst als Ansatz zur Krankheit erscheint, kann sich später eine organische Krankheit entwickeln, wenn die zunächst noch flüchtige Störung im Schulalter nicht ausgeglichen wird.

Alle diese Erscheinungen stehen in deutlichem Zusammenhang mit äußeren Einflüssen: familiären, schulischen, zivilisatorischen. Wenn ein bis dahin munteres, eifriges Kind mit einem Male blaß, still, melancholisch, lernunlustig wird, dann steht man so lange vor einem Rätsel, bis man vielleicht erfährt, daß die Eltern in Scheidung leben. Auch dann, wenn der Zusammenhang der Familie nicht gleich in dieser katastrophalen Form aufgelöst ist, sondern nur in der heute vielfach üblichen, so hat das seine Rückwirkungen auf die Gesundheit des Kindes und führt zu den geschilderten mannigfach wechselnden Symptomen. Man denke nur an das Problem der «Schlüsselkinder», die den Wohnungsschlüssel an einer Schnur um den Hals tragen, weil sie niemanden vorfinden, wenn sie über Mittag heimkommen; denn Vater und Mutter sind berufstätig. Auch wenn die berufstätige Mutter zu Hause ist, hat sie es schwer, sich ihrer mütterlichen Aufgabe zu widmen. Leicht wird sie durch Berufsgedanken und -sorgen abgelenkt und überträgt ihre Sorgenatmosphäre auf das Kind. Häufig sind die Kinder äußerlich gut versorgt, aber seelisch verwaist, und weil sie gerade in diesem Alter mehr noch als auf leibliche auf seelische Nahrung angewiesen sind, so kränkeln und kümmern sie. Für uneheliche oder irgendwie unerwünschte Kinder liegen die Verhältnisse noch schwieriger.

Die Einflüsse der Schule auf die Gesundheit werden heutzutage stark beachtet. Das morgendliche Erbrechen vor der Schule ist bekannt, besonders häufig tritt es vor einer Klassenarbeit auf; auch kann der Schlaf der vorangehenden Nacht gestört sein; die Kopfschmerzen treten gern während oder am Ende der Schulstunden auf oder bei den Hausaufgaben. Intellektuelle Überlastung macht die Kinder blaß und kann bis zu Angstzuständen führen (31).

Die Schularbeiten werden nicht selten zu einem Familienunglück und wirken dadurch in doppelter Weise ungünstig auf das Kind zurück. Der Lehrer, der mit der Unterrichtszeit nicht ausreicht, um den Stoff in genügender Weise an das Kind heranzubringen, verlagert einen Teil dieser Aufgabe in die Schularbeiten. Die Kinder aber werden damit nicht allein fertig, gerade weil sie im Unterricht noch nicht zum vollen Verständnis vorgedrungen sind. Nun müssen die Eltern einspringen, sowieso schon überreizt und unter Zeitdruck stehend. Oder das Problem wird so «gelöst», daß ein großer Teil der Schüler Nachhilfestunden erhält. Damit steigt wieder die intellektuelle Überlastung. Die ungünstige Auswirkung der Hausaufgaben auf das gesundheitliche Befinden der Kinder ist in letzter Zeit so augenscheinlich geworden, daß immer wieder ärztliche Arbeiten sich damit befassen (32, 33). Wesentliches zu diesem Thema wie zur gesundheitlichen Lage des Schulkindes überhaupt findet sich in der Arbeit von Rudolf Treichler über «Das Volksschulalter in ärztlicher Sicht» (34). Rudolf Steiner äußerte sich zur Frage der Schularbeiten vor Ärzten in folgender Weise (40): «Nun beklagen sich die Leute sehr leicht darüber, daß wir in der Waldorfschule mit den Hausaufgaben sehr sparsam sind. Wir haben gute Gründe dazu. Eine wirklichkeitsgemäße Pädagogik sieht eben nicht nur auf die abstrakten Grundsätze und auf die Abstraktionen überhaupt, die heute vielfach im Leben geltend gemacht werden, sondern sie berücksichtigt alles, was eben in der wirklichen Entwicklung des

Menschen zu berücksichtigen ist, und dazu gehört vor allen Dingen, daß man die Kinder nicht mit Hausaufgaben traktiert; denn die Hausaufgaben sind im wesentlichen manchmal die sehr verborgene Ursache einer schlechten Verdauung. Diese Dinge äußern sich immer erst später, aber sie sind eben durchaus sehr wirksam. Es ist das Eigentümliche, daß für die menschliche Entwicklung übersinnliches Beurteilen des Menschen zu gleicher Zeit ein Hinweis darauf ist, daß man dasjenige, was sich in einem früheren Lebensalter für das spätere vorbereitet, eben in seinen Andeutungserscheinungen in einem früheren Lebensalter sehen kann.»

Ein weiteres die Gesundheit belastendes Moment stellt der durch Schichtwechsel und ständig sich ändernden Stundenplan immer wieder durchbrochene Tagesrhythmus dar. Da auch die Eltern durch ihren Beruf zeitlich in verschiedener Weise festgelegt sind, hat nicht selten jedes Familienmitglied mittags eine andere Essenszeit. Die Folgen der unregelmäßigen Nahrungsaufnahme und vor allem der gestörten Familienatmosphäre sind Appetitlosigkeit, Magen-Darm-störungen, Leibschmerzen, ja immer häufiger sogar Magengeschwüre, die bis vor kurzem im Kindesalter praktisch unbekannt waren. In einem ärztlichen Bericht über das Auftreten des Magengeschwürs im Kindesalter (35) wird auf die «an den Existenzkampf Erwachsener bisweilen erinnernde Schulsituation» der heutigen Kinder mit Schichtarbeit, Examensnöten, unregelmäßiger Nahrungsaufnahme usw. verwiesen. – Dazu kommt noch die schlechte Gewohnheit, den Kindern bei allen möglichen Gelegenheiten Süßigkeiten oder das Geld dafür zuzustecken, wodurch die Verdauungstätigkeit weiterhin aus dem Rhythmus gebracht wird. Auch die chronische Überlastung des Magens durch besorgte Mütter gehört hierher.

Die «Reizüberflutung» der Sinne durch die moderne Zivilisation ist nicht mehr auf die Großstadt (Lichtreklame, Geschäftsauslagen, Straßenverkehr) beschränkt, sondern hat bereits weitgehend auf das Land übergegriffen. Traktoren rattern durch die Dorfstraßen und über die Äcker, das Geräusch der Flugzeugmotoren durchdringt die dichtesten Wälder, Radio und Fernsehen halten ihren Einzug in die einsamste Hütte. Es liegen Untersuchungen darüber vor, daß dieses

Überangebot von optischen und akustischen Reizen nicht nur das Nervensystem angreift, sondern auch zu Kreislaufveränderungen führt. Dabei reagiert der Blutkreislauf auch dann auf den Lärm z. B. des Straßenverkehrs, wenn dieser als gewohnt, gar nicht mehr als unangenehm empfunden wird. Ja sogar bei dem nächtlichen Schläfer ändert sich der Blutdruck, wenn draußen ein Lastkraftwagen vorbeifährt. Es handelt sich um Einflüsse, die auch dann wirken, wenn das Bewußtsein sie nicht registriert, dann sogar besonders stark.

Etwas Sonnenhaft-Mutvolles liegt im ursprünglichen Wesen der Kinder dieses gesündesten Lebensalters. Aber vielleicht noch nie war ein Zeitalter in vielen seiner Erscheinungen gerade diesem Kindesalter so feindlich wie das unsrige. Es ist damit weniger die Gefährdung durch Unfälle gemeint, die heutzutage die Haupttodesursache im Kindesalter darstellen. (Mehr Kinder sterben durch Unfälle als durch alle Infektionskrankheiten zusammen! Die Todesfälle und bleibenden Schädigungen durch die so gefürchtete Kinderlähmung zum Beispiel stellen nur einen ganz geringen Bruchteil der durch Unfälle verursachten dar.) Es sind mehr in unserer Zivilisation liegende Faktoren gemeint, wie sie vorher als Auflösung der Familie, als schulische Fehlbeanspruchung, als Übermaß an Sinnesreizen angedeutet wurden; denn durch diese werden nahezu alle Kinder betroffen. Sie können nicht nur zu den geschilderten fluktuierenden Gesundheitsstörungen des Schulkindes, sondern auch zu einer Veränderung seiner ursprünglich mutvollen und freudigen Seelenhaltung führen. Eine zaghafte, ja ängstliche Seelenstimmung kann sich statt dessen entwickeln, oder auch stumpfe Apathie. Das Kind weicht – seelisch erblassend – vor der Welt zurück, anstatt sich freudig in sie hineinzuleben.

Die Bedeutung der Zivilisationseinflüsse wird wohl erkannt. Überall kann man Artikel lesen mit Überschriften wie «Das gefährdete Kind unserer Zeit», «Eltern ohne Zeit», «Das Kind in der Zivilisation», «Die Überforderung des Schulkindes», «Managerkrankheiten im Kindesalter» etc. Aber, wie Bennholdt-Thomsen sagt: «Was immer wieder auf Tagungen, die sich mit dem Schulkind befassen, erschüttert, ist, daß die Einsicht da ist, a b e r n i c h t s s i c h ä n d e r t » (10).

Was aber muß sich ändern? Das ergibt sich klar aus dem Vorangehenden. Nach zwei Richtungen werden unsere Bemühungen gehen, um dem Kinde zu helfen. Einmal muß ein Raum geschaffen werden, in dem das Kind vor den Zivilisationsgefahren weitgehend bewahrt ist. Zum anderen muß es durch Erziehung und Unterricht seelisch gekräftigt werden, um dem äußeren Druck standhalten zu können.

Die Eltern können manches tun, wenn sie sich auf die Aufgabe besinnen, die ihnen das Leben damit stellt, daß es ihnen Kinder anvertraut. Einige besinnliche Worte am Abend beim Zubettbringen oder gar eine Erzählung, ein Spruch, ein Gebet bedeuten schon viel. Eine Wanderung am Sonntag, ein gemeinsames Musizieren vermitteln dem Kinde seelische Substanz, während der Besuch des Fußballplatzes oder des Kinos diese zerstört. – Die Nahrungsaufnahme, insbesondere der Konsum von Süßigkeiten, muß geregelt werden. Der Straßenlärm und andere Einflüsse der Straße lassen sich nicht ganz ausschalten, aber Kino, Radio und Fernsehen lassen sich vermeiden. Diese mögen für Erwachsene in mancher Hinsicht nützlich sein, für das Kind sind sie unter allen Umständen Gift, auch wenn sie inhaltlich vielleicht sehr gediegen, z. B. als Schulfunk, auftreten.

Die Schule wird ihre Aufgabe immer mehr auch darin suchen müssen, die Zivilisationsschäden auszugleichen, indem sie der Auflösung der Familie ein neues Heimatgefühl in der Klassengemeinschaft gegenüberstellt, der seelischen Verkümmerung die seelische Ernährung durch den vom Wesen des Kindes geforderten Lehrstoff, der optischen und akustischen Reizüberflutung, bei der kein Eindruck innerlich verarbeitet werden kann, die eingehende, liebevolle Beschäftigung mit wenigen grundlegenden Phänomenen (Farben, Formen, Tönen), dem zerrissenen, unregelmäßigen Tageslauf den sich rhythmisch wiederholenden Ablauf des Schultages und der einzelnen Unterrichtsstunden. Wer sich mit der Waldorf-Pädagogik befaßt, der erlebt, daß sie in allen Einzelheiten zu einer solchen heilenden Erziehung veranlagt ist. Immer wieder hat Rudolf Steiner auf die

gesundheitliche Bedeutung der pädagogischen Maßnahmen hingewiesen.

Wenn Paracelsus sagte, daß der Urquell der Arznei die Liebe sei, so
gilt dieser Satz ganz besonders auch für die heilende Erziehung in
diesem Lebensalter. «Deshalb legen wir in der Waldorfschule gerade
im Volksschulalter zwischen dem 6., 7. und 14. Jahr alles darauf an,
daß der Lehrer mit einer künstlerischen Liebe und einer liebevollen
Kunst dasjenige an das Kind heranzubringen vermag, was in dieses
Lebensalter des Menschen hereingehört» (30). Ganz Seele ist ja das
Kind geworden, ganz im Gefühl lebend. In der Liebe erlebt es dasjenige zentrale Gefühl, das ihm zum Gedeihen so notwendig ist wie
der Pflanze das Sonnenlicht. In Liebe neigt sich der Erzieher dem
Kinde und das Kind wieder dem Erzieher zu.

Als Rudolf Steiner einmal eine Klasse der Waldorfschule besuchte,
der vom Lehrer u. a. die Aufgabe gestellt worden war, das Gefühl
der «Liebe» in künstlerischer Form zur Darstellung zu bringen, da
zeichnete er einem Mädchen folgende Figur in sein Zeichenheft (36).

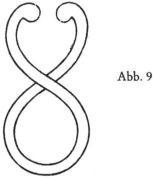

Abb. 9

Auch hier, wo uns das Wesen dieses Lebensalters von einer ganz anderen Seite entgegentritt, begegnet uns wieder eine lemniskatische
Form. Gewiß ist diese Form hier ganz ohne die Erwägungen zustande gekommen, die uns zu Anfang dieses Kapitels in der Lemniskate die geeignete Kurve erblicken ließen, um wesentliche Eigen-

46

schaften der zweiten Lebensepoche sinnbildlich zusammenzufassen. Auch bezieht sie sich ja zunächst gar nicht auf die zweite Lebensepoche, sondern auf das Gefühl der «Liebe». Aber wir sahen schon, daß gerade dieses Gefühl es ist, das eine zentrale Bedeutung für die zweite Lebensepoche besitzt. Und insofern ist eine Beziehung gegeben, die uns unmittelbar bereits in der figürlichen Ähnlichkeit entgegenleuchtet.

Der liebevolle Kontakt des Erziehers zum Kinde wird von entscheidender Wichtigkeit, wenn um das 9./10. Lebensjahr ein kritischer Punkt erreicht wird, dessen Bedeutung Rudolf Steiner oft hervorgehoben hat. In diesem Alter wird das Kind von tragenden Kräften verlassen, die bisher in selbstverständlich-unbewußter Weise sein Verhältnis zur Umwelt regelten; es hat aber noch nicht die Kraft, ganz auf sich selbst gestellt der Welt gegenüberzutreten. Es fühlt sich plötzlich vereinsamt; damit ist die Möglichkeit für ein Ich-Erlebnis gegeben, das aber noch ganz zart ist, noch der Stütze durch einen anderen Menschen bedarf, an den das Kind sich in vollem Vertrauen innerlich anlehnen kann. Findet sich in diesem Alter der Mensch nicht, der vor dem kritischer gewordenen Blick des Kindes bestehen kann, dann kann eine gewisse innere Haltlosigkeit ihm für das ganze fernere Leben bleiben. Manches von der heute so weitverbreiteten Lebensangst hat hier seine Wurzel.

Die körperliche Grundlage des menschlichen Ich-Erlebnisses bildet der Zuckergehalt des Blutes (37, 38). Das kann uns zum eindringlichen Erlebnis werden, wenn bei gewissen Schwächezuständen der Genuß eines Stückes Zucker oder einer anderen Süßigkeit das verlorene Selbstgefühl unmittelbar wiederherstellt. Der Zuckerspiegel des Blutes steigt im Laufe der Kindheit entsprechend dem immer stärkeren Sichselbsterfühlen der Individualität in der irdischen Körperlichkeit. Diese aufsteigende Kurve wird an einer Stelle unterbrochen, und zwar genau mit neun Jahren, wo der Blutzucker in einem Maße absinkt, wie niemals vorher oder nachher in der kindlichen Entwicklung (Abb. 10). Da haben wir das materielle Gegenstück zu dem gefährdeten seelischen Zustand des Neunjährigen, zu seinem zarten Ich-Erlebnis, das der Stütze durch einen anderen Men-

47

schen bedarf. Die innere Unsicherheit dieses Lebensalters äußert sich auch darin, daß das Kind in diesem Zeitpunkt besonders leicht zum Schielen neigt (39), worin sich immer eine Schwäche der Ich-Organisation ausspricht.

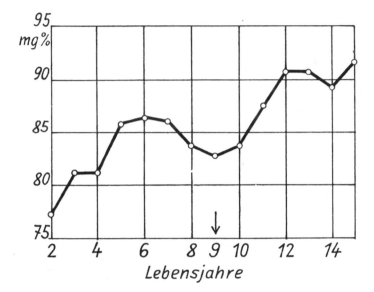

Abb. 10   Der Blutzucker im Kindesalter.
Durchschnitt von 700 Kindern, nach Altersklassen geordnet (I. B. Mayer).

Noch in anderer Weise hebt sich das neunte Lebensjahr aus dem physiologischen Geschehen des zweiten Jahrsiebents heraus. Das Herz, das als Organ der Mitte in ähnlicher Weise ein zentrales Organ für die zweite Lebensepoche darstellt wie das Gehirn für die erste Lebensepoche, erfährt jetzt eine sprunghafte Steigerung seiner Größe (42). Im Verhältnis des Kindes zur Welt übt dieses Vermittelnde der Erzieher aus. Das Kind kann eigentlich nur so viel von der Welt wirklich erfassen, wie ihm der Erzieher in der geschilderten Form künstlerisch-bildhaft vermittelt. Es ist zum Beispiel auf Schulausflügen eine auffallende Erfahrung, daß die Kinder nur das «sehen», was der Lehrer vorher mit ihnen besprochen hat.

Wenn auch das Volksschulalter die gesündeste Lebenszeit des Menschen darstellt und mehr zu den geschilderten Störungen des Allgemeinbefindens als zu eigentlichen Krankheiten neigt, so gibt es doch eine Krankheitsgruppe, eine Dreiheit von Krankheiten, die alterstypisch ist. Es handelt sich um den akuten Gelenkrheumatismus (Polyarthritis), den Veitstanz (Chorea minor) und die Herzentzündung (Carditis). Auch diese Trias gliedert sich in charakteristischer Weise dem wechselnden Geschehen der zweiten Lebensepoche ein.

Bei der Chorea sind die Kinder von einer übergroßen seelischen und körperlichen Labilität. Eine ständige unwillkürliche Bewegung hat sie ergriffen: einmal zuckt die Schulter, dann verdreht sich der Arm oder das Bein in eigenartiger Weise, dann wird der Kopf zur Seite geworfen etc. Auch die intendierten Bewegungen sind ausfahrend und von Mitbewegungen begleitet, so daß die Kinder zunächst, ehe man die Krankheit erkennt, wegen Ungeschicklichkeit gescholten werden, wodurch sich ihr Zustand nur verschlimmert. Der Gesichtsausdruck wechselt ständig: bald malt sich Freude, bald Schreck, bald Verlegenheit in den Zügen, ohne daß dieses Mienenspiel wirklich Ausdruck des jeweiligen individuellen Seelenzustandes wäre. Die Seele des Kindes spielt gleichsam von außen über den Körper hin, die wechselnde Mimik und die unwillkürlichen Bewegungen veranlassend. Es fällt ihr schwer, wirklich in den Leib unterzutauchen. Das spricht sich auch in dem eigenartigen Czernyschen Atemtypus aus: Bei tiefer Einatmung wird der Bauch eingezogen anstatt sich vorzuwölben und damit der sich weitenden Lunge Raum zu geben; das heißt, der auf den Flügeln des Atems sich inkarnierenden Seele stellt sich ein Widerstand entgegen, der die Durchluftung und Beseelung des Leibes erschwert.

Wohl beschränkt sich die Chorea im allgemeinen auf die zweite Lebensepoche, aber sie hat auch das mit dem Krankheitstypus dieses Alters gemeinsam, daß sich Restzustände in verwandelter Form in das folgende Lebensalter fortsetzen können. So wurde bei Nachuntersuchungen von ehemals choreatischen Kindern festgestellt, daß es ihnen häufig an körperlicher und seelischer Frische mangelt (Avitalität und Aspontaneität) (43).

Gewöhnlich klingt der Veitstanz nach einigen Wochen oder Monaten ab; es kommt aber leicht zu Rückfällen. Oder aber es stellt sich jetzt ein Gelenkrheumatismus ein. Das Alterstypische liegt bei diesem in der Flüchtigkeit und dem Wechsel der Erscheinungen: die Erkrankung springt von einem Gelenk zum anderen, das befallene Gelenk durch Schmerzen und Schwellung ruhig stellend. Bei beiden entgegengesetzten Krankheitsformen, die eine in Überbeweglichkeit sich äußernd, die andere die Bewegung zeitweise ablähmend, stellt sich fast immer eine Beteiligung des Herzens ein. Die Herzerkrankung kann ausheilen; wenn es aber, wie leider nicht selten, zu einem Klappenfehler kommt, so führt dieser meistens erst nach der Pubertät zu einem eigentlichen Versagen des Herzens.

In wechselnder Folge können die Erscheinungen dieser Krankheitstrias ein- oder mehrmals das gleiche Kind befallen, wobei charakteristisch ist, daß die beiden polaren Formen (Chorea und Gelenkrheumatismus) zu ein und derselben Erkrankung des Herzens tendieren.

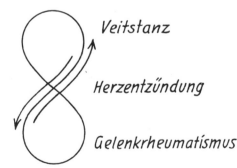

Abb. 11

Der Verlauf kann so sein, daß ein halbes Jahr nach dem Gelenkrheumatismus die Herzerkrankung sich einstellt, dann vielleicht nach einem Jahr der Veitstanz, ein Jahr später wieder der Gelenkrheumatismus usw. Die Reihenfolge variiert dabei in beliebiger Weise.

Die einzelnen Krankheitsmanifestationen als solche haben zunächst keinerlei Ähnlichkeit mit den vorher geschilderten Beschwerden des Volksschulalters; das Gemeinsame liegt in der Art des Krankheitsverlaufes, in dem Wechsel der Symptome, ihrem Verschwinden und Wiederauftreten.

In der Präpubertätszeit kommt es zu typischen Krankheitsformen, die schon Übergangserscheinungen zu denen der dritten Lebensepoche darstellen und damit aus dem eigentlichen Charakter der zweiten Lebensepoche herausfallen.
Wir sahen, wie die Lebensäußerungen des Schulkindes im Ein- und Ausströmen des Atems, in dem Pulsieren der Blutflüssigkeit ihr Zentrum finden. In den Erscheinungen der zuletzt geschilderten Krankheitstrias verlegt sich der Akzent schon auf das Bewegungssystem. Bei der Chorea wird die willkürliche Muskulatur ergriffen, bei der Carditis der Herzmuskel. Der Muskel stellt gleichsam eine zu festerer Form geronnene Blutflüssigkeit dar, die aber immer noch wie die Ausgangssubstanz in Zusammenziehung und Ausdehnung pulsiert. Die Muskulatur reguliert durch ihre Spannung die Körperhaltung und tritt damit in Beziehung zu dem der Körperform zugrunde liegenden Knochensystem. Im Gelenkrheumatismus dringt das Krankheitsgeschehen noch näher an das Skelett heran, bleibt aber immer noch im beweglich-lebendigen Bereich der Gelenkflüssigkeit. Um das zwölfte Lebensjahr geht der Entwicklungsimpuls ganz auf den eigentlichen festen Knochen über; das zeigt sich auch in den jetzt auftretenden Krankheitserscheinungen. Rudolf Steiner hat darauf hingewiesen, daß in diesem Lebensalter das Geistig-Seelische des Kindes sich bis in das Knochensystem hinein ausbreitet (30), daß damit erst das Verständnis für die Welt des Toten, Anorganischen erwacht, für Physik, Chemie, Mineralogie; wie das Kind jetzt erst fähig wird, die Kausalität zu begreifen; wie das Erlernen der Hebelgesetze zum Beispiel nur das ins Bewußtsein hebt, was das Kind erlebnismäßig bei der Hebelbewegung seiner Gliedmaßen bereits erfährt.
Die natürliche Anmut und Grazie, der harmonische Fluß der Bewegungen geht jetzt verloren und macht den steifen, eckigen Bewegungen der Flegeljahre Platz.

Der in der Präpubertät einsetzende Wachstumsschub, der Werte von acht bis zehn Zentimeter im Jahr erreicht, betrifft fast ausschließlich die Gliedmaßen, vor allem die Beine. Die Relation zwischen Rumpf- und Beinlänge verschiebt sich zugunsten der Beine (29). Die Kinder werden magerer. Die Streckungstendenz der Gliedmaßen zeigt sich nicht nur in der Proportionsänderung, sondern sie ergreift den ganzen lang und «sehnig», ja «knochig» werdenden Körper. Die Körperspitzen, Hände und Füße, Nase und Unterkiefer erscheinen unverhältnismäßig groß und tragen damit zu dem disharmonischen Gesamtbild bei. Man hat den Eindruck, daß die Durchseelung des Organismus mit dem stürmischen Wachstum nicht Schritt hält. Das drückt sich unter anderem in den schlecht durchbluteten, kalten, blauen, schweißigen Händen (und Füßen) aus, die für die Präpubertätszeit typisch sind.

Die in diesem Alter besonders nach Anstrengungen auftretenden Schmerzen in den Gliedmaßen, vor allem in den Beinen, hängen mit der gesteigerten Streckung der Knochen zusammen und werden deshalb mit Recht als «Wachstumsschmerzen» bezeichnet. Sie können manchmal jahrelang mit wechselnder Intensität sich wiederholen. Ebenfalls auf das gesteigerte Wachstum sind die seltener vorkommenden Gelenkergüsse zurückzuführen, die die Franzosen «Hydrops de croissance» («durch das Wachstum bedingter Gelenkerguß») nennen. Diese Erscheinungen, die sich in ihrer relativen Flüchtigkeit noch an die typischen gesundheitlichen Störungen des Schulkindes anschließen, gehen fließend in die eigentlichen Knochenerkrankungen über, die um das zwölfte Jahr kulminieren. Es kommt dabei zu Zerstörungen (aseptische Knochennekrosen) an den Knochenenden und Knochenspitzen, die meistens ausheilen, gelegentlich aber auch irreparable Schäden hinterlassen. Bezeichnenderweise finden sich diese Zerstörungsherde immer in Gelenknähe oder an den Ansatzstellen der Sehnen, d. h. überall da, wo die Beweglichkeit des Muskels übergeht in die Festigkeit des Knochens. Die Sehne, mit der der Muskel am Knochen ansetzt, stellt ja in jeder Beziehung (Elastizität, Beweglichkeit, Lokalisation) ein Übergangsgebilde zwischen Muskel und Knochen dar; und das Gelenk ist diejenige Region des sonst starren Skeletts, die dessen Bewegung überhaupt erst ermöglicht. Ein Beispiel einer solchen alterstypischen Knochenerkrankung ist die sogenannte Schlattersche Erkrankung, die den Schienbeinhöcker (Tuberositas tabiae) befällt. Dieser Knochenvorsprung, an dem die Sehne des Streckmuskels (Quadriceps femoris) ansetzt und den jedermann bei sich selber unterhalb der Kniescheibe tasten kann, verwandelt sich dabei in eine schmerzhafte Anschwellung, die die Bewegung behindert und das Knien unmöglich macht. Nach einiger Zeit, manchmal erst nach Jahren, gehen die Beschwerden zurück, ohne im allgemeinen Folgen zu hinterlassen, außer höchstens einem etwas plump geratenen Knochenvorsprung.

In entsprechender Weise befällt die Perthessche Erkrankung den Oberschenkelkopf, die Scheuermannsche Erkrankung einen Lendenwirbelkörper. Auch Hand- und Fußwurzel können ergriffen werden. – Eine weitere Knochenerkrankung dieses Lebensalters ist die sogenannte Spätrachitis, die sich bezeichnenderweise auf die Beine zu beschränken pflegt (während die Rachitis der ersten Lebenszeit vor allem den Schädel befällt).

Ebenfalls im Übergangsgebiet zwischen Muskel und Knochen liegen die zahlreichen, jetzt auftretenden Haltungsstörungen. Wir sprachen am Anfang des Kapitels davon, wie beim Schulkind die physiologischen Kurvaturen des Rückens sich herausbilden, wie die Wirbelsäule ihre federnde, rhythmisch schwingende Gestalt erhält. Wenn jetzt der Entwicklungsimpuls vom Muskel auf den Knochen übergeht, so kann es geschehen, daß der stärker sich selbst überlassene Knochen der Schwere verfällt und die Gestalt in sich zusammensinkt, anstatt die aufrechte Haltung zu bewahren. Dann wird die physiologische Schwingung des Rückens zum Rundrücken («Buckel») übertrieben, die der Lendenwirbelsäule zum Hohlkreuz; das Fußgewölbe sinkt zum Senk- oder Spreizfuß ein. Daß diese Haltungsstörungen heute so weit verbreitet sind, daß sie schon fast zum «normalen» Bilde des Schulkindes gehören (44), ist weitgehend ein pädagogisches Problem. Gelingt es dem Erzieher nicht, durch begeisternden Unterricht einen inneren Auftrieb, durch vertrauensvollen Kontakt einen inneren Halt zu erzeugen, macht sich statt dessen Bedrücken, Leere, Haltlosigkeit geltend, dann wird die äußere Haltungsschwäche zum Ausdruck der geschwächten inneren Haltung. Die Seele des Kindes erstarkt nicht genügend, um den Körper bis zu den Fußspitzen zu durchdringen, sie überläßt ihn zum Teil seiner Eigenschwere; ein Prozeß, der in höheren Lebensaltern dann ja zu fortschreitender Tendenz neigt. Selbstverständlich läßt sich durch Haltungsübungen, Eurythmie, Heileurythmie und Gymnastik viel vorbeugen und ausgleichen, aber der eigentliche Angriffspunkt liegt auch hier in der seelischen Verfassung des Kindes. Auch die genannten Bewegungsübungen wirken primär über die seelische Kräftigung, erst in zweiter Linie durch ihren direkten Einfluß auf das körperliche Stützsystem (Knochen, Bänder, Muskeln).

Als die charakteristischen Krankheitserscheinungen der zweiten Lebensepoche hatten wir die geschilderten flüchtigen Gesundheitsstörungen erkannt, die wir jetzt einmal unter dem Namen «Schulkrankheit» zusammenfassen wollen. Wir sagten, daß es sich um vorübergehende Störungen handle, die aber doch ernst zu nehmen seien, weil sie, wenn nicht ausgeheilt, im folgenden Lebensalter zu organischen Erkrankungen führen können. Dazu sind einige Ergänzungen und Einschränkungen erforderlich.

Unter den bei der Schulkrankheit auftretenden Symptomen wie Leibschmerzen und Erbrechen kann sich auch einmal eine sogenannte Blinddarmentzündung (Appendicitis) verbergen, um so mehr, als gerade die Blinddarmentzündung das Maximum ihres Auftretens im Volksschulalter hat (2). Daran muß man denken, um nicht lebensnotwendige Sofortmaßnahmen zu versäumen. Ebenso würde eine mit ähnlichen Erscheinungen einhergehende Verwurmung spezielle Behandlung erfordern. Schließlich kann eine Lymphdrüsenschwellung im Bauch (Lymphadenitis mesenterialis) (45), an der Lungenwurzel (Hilusdrüsenvergrößerung) und im Halsbereich zu entsprechenden Störungen des Allgemeinbefindens führen. Im Grunde genommen gehören aber diese jetzt genannten Krankheiten auch zu den Krankheitserscheinungen des Volksschulalters und sind nur dem Grade und nicht dem Wesen nach von den eigentlichen Schulkrankheiten verschieden. Der innere Zusammenhang dieser Erkrankungsformen besteht zwar nicht für eine kausale Betrachtungsweise, wohl aber, wenn die Art ihres Verlaufs und der Zeitpunkt ihres Auftretens berücksichtigt wird.

Einige Erscheinungen der Schulkrankheit (Blässe, schlechtes Aussehen, Farbwechsel, Erschöpfbarkeit, Angstzustände) hat Pfaundler unter dem treffenden Begriff der «Scheinanämie» zusammengefaßt (1). Rudolf Steiner hat ausgeführt, daß diese Erscheinungen im dritten Jahrsiebent in eine wirkliche Blutarmut übergehen können, wenn ihnen nicht schon im Volksschulalter sachgemäß entgegengewirkt wird (40). Diese Blutarmut der Jugendlichen, die sogenannte Bleichsucht (Chlorose), befällt nur Mädchen. Als ihr entsprechendes männliches Gegenstück bezeichnete Rudolf Steiner die Störung des Stimmwechsels (40). Diese zunächst erstaunliche Parallele zwischen Bleichsucht und gestörter Mutation beruht darauf, daß es sich in beiden Fällen um eine Schwächung des Eisenprozesses handelt. Man kann beobachten, daß das Seelenleben bei der weiblichen und der männlichen Form der Erkrankung ganz ähnliche Züge aufweist. Eine charakteristische Verzagtheit, Unschlüssigkeit und Stimmungslabilität macht sich geltend (46), die es solchen Jugendlichen erschwert, ihre eigentliche Erdenaufgabe zu ergreifen.

Wie die Scheinanämie zur Bleichsucht, so können die funktionellen Herzstörungen (Herzklopfen, Herzstechen etc.) des Schulkindes zu einer organischen Herzerkrankung im späteren Lebensalter führen. Aus den Magen-Darm-Störungen können sich organische Magen- oder Darmerkrankungen, Magengeschwüre etc. entwickeln. Wir sahen ja, daß das Magengeschwür mit Verfrühung sogar im Volksschulalter schon auftritt. – Wohl ist die zweite Lebensepoche das gesündeste Lebensalter des Menschen, aber sie ist zugleich derjenige Zeitabschnitt, der für Gesundheit und Krankheit im späteren Leben entscheidend ist (34). Das legt dem Erzieher des Schulkindes eine so außerordentlich hohe Verantwortung auf.

Das dritte Jahrsiebent

Das dynamische Lebensalter

Bei dieser Lebensepoche ist es schwerer, zu einem abgeschlossenen Bild zu kommen, als bei den beiden vorangehenden. Es treten Krankheitstendenzen auf, die zunächst nichts Gemeinsames zu besitzen scheinen. Man braucht ganz verschiedenartige Begriffe, um ihnen gerecht zu werden. Aber es zeigt sich dann, daß diese verschiedenartigen Begriffe doch in einem inneren Zusammenhang stehen, aus dem ein Gesamtbild hervorgehen kann.

Die Erdenreife wird erreicht (so nannte Rudolf Steiner das, was sonst einseitig als Geschlechtsreife bezeichnet wird); an Stelle des Kosmisch-Ganzheitlichen der ersten Lebensepoche und des Meteorologisch-Webenden der zweiten Lebensepoche gibt das nach verschiedenen Richtungen sich Differenzierende, ja Zersplitternde der Erdennatur dieser dritten Lebensepoche das Gepräge. Damit ist schon auf einen der jetzt notwendigen Begriffe hingewiesen, auf den der Differenzierung, Spaltung, Entzweiung. Weitere Begriffe, die wir im Folgenden zum Verständnis der Krankheitserscheinungen brauchen, schließen sich hier an: man hat es im Bereich der Erde mit der Materie zu tun, mit der Stofflichkeit. Die Auseinandersetzung mit der Stofflichkeit, der Stoffwechsel, wird jetzt zur ausschlaggebenden Funktion des Organismus. – Jeder irdische Stoff hat ein bestimmtes Gewicht, der Begriff der Schwere ist da maßgebend. – Unausweichlich bringt die Erde allem, was zu ihr gehört, den Tod. Das Erlebnis des Todes gewinnt eine bei der überschäumenden Vitalität dieses Lebensalters zunächst überraschende Bedeutung. Und der Begriff des Todes fordert wiederum den der Schwelle, die zwei verschiedene Welten trennt.

Damit sind die notwendigen Hauptbegriffe in ihrem Zusammenhang skizziert, und es soll nun versucht werden, das, was zunächst ganz abstrakt entwickelt wurde, an Hand der Tatsachen zu konkretisieren. Beginnen wir mit dem zuletzt angeführten Begriff: Eine S c h w e l l e stellt die Pubertät im Krankheitswesen insofern dar, als sie von bestimmten Krankheiten nicht überschritten wird, während andere hier erst einsetzen. Das kann man in verschiedenen Bereichen des Organismus beobachten.

So gehen die lymphatischen Wucherungen des Rachenraumes und die damit zusammenhängenden Krankheitserscheinungen jetzt zurück, während die Schilddrüse regelmäßig anschwillt. Das gegensätzliche Verhalten dieser beiden drüsigen Organe im Halsbereich hängt mit der in der Pubertät einsetzenden Beschleunigung des Stoffwechsels (erhöhter Grundumsatz) zusammen, die durch die Schilddrüse gesteuert wird. Dadurch wird das wuchernde Wachstum des lymphatischen Systems zurückgedrängt. Manche Mandeloperation erübrigt sich, wenn dieser Zeitpunkt abgewartet werden kann. Die Anschwellung der Schilddrüse bildet sich fast immer nach Vollendung der Reife zurück. Bleibt sie bestehen oder nimmt sie zu, so heißt das, daß das mit der Pubertät veranlagte Geschehen über das Ziel hinausschießt und zur sogenannten Basedowschen Krankheit führt. Diese Krankheit, die durch einen gesteigerten Stoffwechsel charakterisiert ist, äußert sich in Symptomen wie Abmagerung, beschleunigte Herztätigkeit, feinschlägiges Zittern der Finger, glänzende Augen mit vergrößerter Lidspalte sowie in einer gesteigerten seelischen Erregbarkeit.

Im Bereich der Haut kommt es ebenfalls zu einem Wechsel der Krankheitserscheinungen. Ekzeme, die bisher nicht abheilten, verschwinden jetzt häufig spontan. Dafür kommt es zu den bekannten Hautunreinigkeiten des Pubertätsalters, die in ihrer ausgeprägten Form als Akne bezeichnet werden. Beim Ekzem, das die der Sinnesfunktion dienende Schicht der Haut (Epidermis) befällt, handelt es sich um einen Rest der für die erste Kindheitsepoche so charakteristischen Hauterscheinungen. Bei der Akne hingegen erkranken die zur Stoffwechselsphäre der Haut gehörenden Talgdrüsen, deren volle Ausbildung und Funktion erst mit der Pubertät beginnt. Diese Erkrankung hängt mit weiteren Störungen im eigentlichen Stoffwechselgebiet zusammen.

Von den Anfallskrankheiten des epileptischen Formenkreises heilt die Pyknolepsie, die sich durch gehäufte kleine Anfälle (Absenzen) auszeichnet, in 25 % der Fälle schon vor der Pubertät aus, während die großen epileptischen Anfälle nicht selten jetzt beginnen (49). Es ist allerdings nicht so, daß mit dem Aufhören der pyknoleptischen Anfälle die Gefahr der Epilepsie für das befallene Kind überhaupt gebannt sei, sondern es kommt nicht selten im späteren Alter doch wieder zu epileptischen Anfällen, die dann aber einen ganz anderen Charakter annehmen. Über den Wandel der Epilepsie im Verlauf der kindlichen Lebensepochen wird noch im letzten Kapitel zu sprechen sein.

Mit der Pubertät gewinnt die Erdenschwere einen starken Einfluß auf das bis dahin leichtfüßig über die Erde sich bewegende Kind. An Stelle der natürlichen Grazie des Schulkindes macht sich eine gewisse Schwerfälligkeit, Plumpheit, Ungeschicklichkeit, Disharmonie geltend. Der Eindruck der Schwere verstärkt sich durch die Vergröberung der Gesichtszüge mit dem lastenden Kinn. Bei den Mädchen wird die Hüftgegend betont, in deren Bereich sich der Schwerpunkt des menschlichen Organismus befindet. Bei den Knaben wird die Stimme tiefer, rauher; ja, auch der Kehlkopf als Ganzes tritt tiefer (von der Neugeborenenzeit bis zur Pubertät um zwei bis drei Wirbelkörperhöhen). Auch seelisch wird die überhandnehmende Schwere spürbar; eine gewisse Trauer kann trotz allen Tobens über so einer 7. oder 8. Klasse liegen.

Eindrucksvoll tritt uns die Auseinandersetzung mit der S c h w e r e in zwei polaren Krankheitsbildern entgegen, in der Pubertätsfettsucht und in der Pubertätsmagersucht. Bei der P u b e r t ä t s f e t t - s u c h t , die etwas vor der Pubertät beginnt und deshalb besser Präpubertätsfettsucht genannt wird, wird der kindliche Organismus zu einem Zeitpunkt von der Schwere überwältigt, in welchem er ihr noch nicht gewachsen ist. Das Skelett gibt nach, es entstehen X-Beine und Knicksenkfüße. Die Haut wird überdehnt, ihr elastisches Gewebe reißt ein, es entstehen helle Streifen, die sog. Striae. Seelisch bildet sich eine große Behäbigkeit, eine Art Überphlegma aus; die Kinder werden antriebslos, egozentrisch und vor allem auf die Stillung ihres Riesenappetits bedacht.

Ganz im Gegensatz zu diesem zu frühen Sturz in die Materie steht das Krankheitsbild der P u b e r t ä t s m a g e r s u c h t. Die Kinder – es sind meistens Mädchen – wehren sich mit aller Kraft gegen den Abstieg in die Materie, gegen das Erwachsenwerden überhaupt. Die Krankheit beginnt mit Appetitlosigkeit, Abneigung gegen bestimmte Speisen, besonders gegen Fette, bis allmählich die Nahrung fast völlig verweigert wird. Ein stark asketischer Zug wird sichtbar. Die Mädchen lehnen die mit der Pubertät verbundenen körperlichen Veränderungen innerlich ab und versuchen durch radikales Fasten die Ausbildung weiblicher Körperformen zu verhindern oder wieder rückgängig zu machen, was ihnen auch in erstaunlichem Maße gelingt. Die Periode, die schon eingetreten war, setzt wieder aus, es kommt zu so extremer Abmagerung, daß die Figur, wirklich fast nur noch Haut und Knochen, an das erinnert, was man sich vielleicht unter einem ägyptischen Säulenheiligen vorstellt. – Kind bleiben, den Abstieg in die Materie nicht mitmachen wollen, ein Zug, den man gar nicht so selten bei Kindern dieses Alters antrifft (häufig allerdings auch das Gegenteil: möglichst schnell erwachsen werden!); ohne daß er gleich so radikale Formen annimmt wie bei dieser Krankheit. Hier wird der Protest, die Verneinung, die Opposition dieses Lebensalters körperlich sichtbar. – Im Gegensatz zur Schwere und Antriebslosigkeit der Kinder mit Pubertätsfettsucht sind diese Kinder übereifrig, altruistisch, von starkem sozialen Trieb. In der Klinik, in die sie wegen der Schwere dieses Zustandes manchmal eingeliefert werden müssen, kann man sie auch dadurch der Erde wieder zurückgewinnen, daß man sie für die anderen Patienten mitsorgen läßt. – Meistens ist dieser Zustand mit eigenartigen, manchmal sehr versteckten, erdflüchtigen Vorstellungen verbunden. So hatte eine dieser Kranken von einer mittelalterlichen Gemeinschaft gehört, deren Mitglieder sich nach Erreichung bestimmter geistiger

Erkenntnisse freiwillig dem Hungertode geweiht haben sollen. Diese Vorstellung, die mit starker Intensität in ihr lebte, war gewiß nicht die Ursache der Erkrankung, aber daß sie so einschlagen konnte, lag doch daran, daß sie der inneren Haltung dieses jungen Mädchens so außerordentlich entsprach.

Bei der Betrachtung dieser beiden polaren Krankheitsbilder werden wir auf ein weiteres Charakteristikum des Pubertätsalters und seiner Krankheiten aufmerksam: das Auseinanderfallen in Gegensätze, die S p a l t u n g, die Entzweiung. Der Grund- und Urgegensatz liegt ja schon in der Trennung in die beiden Geschlechter, die erst jetzt im eigentlichen Sinne eintritt; denn das vorangehende Kindesalter ist, entgegen psychoanalytischen Anschauungen, noch ein einheitliches. Die Ausbildung des männlichen und des weiblichen Körperbautypus ist bekannt und braucht hier nicht weiter verfolgt zu werden. Kurz vor dieser endgültigen Differenzierung kann es bei beiden Geschlechtern zu einer Art Zwischenzustand kommen, zur vorübergehenden Ausbildung von Merkmalen des anderen Geschlechts. So schwillt bei Knaben häufig die Brustdrüse ein- oder doppelseitig in mehr oder minder starkem Ausmaß an; eine Erscheinung, welche die Eltern sehr beunruhigt, aber stets spontan wieder verschwindet. Ebenso treten bei Mädchen für kurze Zeit mehr männliche Merkmale auf. Es ist das Alter, das zu gleichgeschlechtlichen Freundschaften neigt. Ein Stehenbleiben auf dieser Stufe kann in späterem Alter zu einer Quelle der Homosexualität werden.

Jetzt beginnt auch die Geschlechtsdisposition zu bestimmten Krankheiten eine größere Rolle zu spielen. Wir hörten ja schon, daß Mädchen leichter als Knaben zur Pubertätsmagersucht neigen. Und die Bleichsucht (Chlorose) dieses Alters befällt, wie auch bereits erwähnt, überhaupt nur das weibliche Geschlecht. Als die entsprechende männliche Erkrankung führt Rudolf Steiner die Störung des Stimmwechsels an (40). An anderer Stelle (30) bezeichnet er «eine Art Blutüberfüllung des Gehirns» als das männliche Gegenstück zur Bleichsucht. Dieses Zustandsbild ist als eigentliche definierte Erkrankung in der Medizin bisher nicht bekannt, aber es gibt Symptome bei männlichen Jugendlichen, die in dieser Richtung liegen. Da ist vor allem die gelegentliche Blutdrucksteigerung ohne sonstigen krankhaften Befund zu nennen; auch die Kopfschmerzen in der Pubertät. Weiterhin die Neigung zu Nasenbluten, das manchmal mit solcher Vehemenz einsetzt, daß dieses Ereignis in seiner Dramatik an ein anderes, noch viel erschreckenderes erinnert: an den Blutsturz bei der Lungentuberkulose.

Die Pubertätsmagersucht heilt im allgemeinen folgenlos ab. Es kann sich aber auch unter diesem Krankheitsbild der erste Schub einer Schizophrenie verbergen, der häufigsten der sogenannten Geisteskrankheiten also. Und schließlich zeigt auch die beginnende Lungentuberkulose, die in der Pubertät einen Gipfel ihres Auftretens hat, in der körperlichen Erscheinung und im psychologischen Verhalten sehr verwandte Züge zu den beiden eben genannten Krankheiten. Die Lungentuberkulose bevorzugt wie die Schizophrenie (55) den schmalen, asthenischen Körperbautyp (59), der ja bei der Pubertätsmagersucht ins Extrem getrieben wird.

Drei sehr verschiedene Krankheiten: eine Entwicklungskrise (Pubertätsmagersucht), eine sogenannte Geisteskrankheit (Schizophrenie) und eine Organkrankheit (Lungentuberkulose) beginnen also mit fast gleichen Symptomen, um sich dann nach verschiedenen Richtungen auseinanderzuentwickeln. Noch ein weiteres ist ihnen gemeinsam: Es handelt sich bei allen dreien um Stoffwechselkrankheiten im weiteren Sinne, um Krankheiten, bei denen der S t o f f w e c h s e l, der Stoffumsatz, gestört ist. Für die Pubertätsmagersucht ist das evident, für die Lungentuberkulose scheint diese Klassifizierung schon fraglicher, und für die Schizophrenie wirkt sie zunächst unverständlich. Aber gerade dieser Krankheit, die in ihren Symptomen vor allem als «Geistes»krankheit imponiert, liegen Stoffwechselveränderungen zugrunde. Das zeigen schon die starken Gewichtsschwankungen, die mit den einzelnen Phasen der Krankheit, mit ihren Verschlimmerungen und Verbesserungen einhergehen. Im Speziellen finden sich Eiweißstoffwechselstauungen, namentlich in der Leber. Es ist interessant, daß z. B. der Schweizer Sprachgenius um solche Zusammenhänge wußte, lange ehe sie wissenschaftlich erforscht wurden. So hat man, wie man bei Jeremias Gotthelf nachlesen kann, im Bernischen Sprachgebiet von einem Verrückten gesagt: der ist sturm an der Leber!

Bei der Lungentuberkulose kommt es zu Erweichungs- und Auflösungserscheinungen, die von Vernarbungs-, Verhärtungs- und Verkalkungserscheinungen gefolgt werden. Anstatt nur die Luft ein- und auszuatmen, gibt die Lunge nun auch Blut und Auswurf von sich. Ihre Tätigkeit verlagert sich mehr ins Stoffliche. Im Pubertätsalter nimmt die Lungentuberkulose meistens den Verlauf, daß sie von der Spitze ausgehend durch das ganze Organ hindurch zur Basis (apikokaudal) fortschreitet. Darin spricht sich wieder etwas Charakteristisches für die nun auftretenden Erkrankungen aus: Nicht mehr ein in sich abgeschlossener, berechenbarer Verlauf wie bei den Kinderkrankheiten im ersten Jahrsiebent, nicht mehr ein hin- und herspielendes Krankheitsgeschehen wie im zweiten Jahrsiebent, sondern ein linear fortschreitender, «ausgerichteter» Krankheitsverlauf wird jetzt maßgebend, der zwar einem bestimmten Endpunkt (Heilung, Vernarbung, Zerstörung) zustrebt, über dessen Dauer sich aber wenig Bestimmtes aussagen läßt (progressive Organkrankheit).

Wollten wir diesen Krankheitstyp in ähnlicher Weise durch eine Kurvenform kennzeichnen, wie wir das für die beiden vorangehenden Lebensepochen durch den Kreis bzw. die Lemniskate getan haben, so müßte diese Kurve etwas darüber aussagen, daß es sich jetzt um Prozesse handelt, die von einem noch gemeinsamen Ausgangspunkt sich nach verschiedenen Richtungen auseinanderentwikkeln und dabei einem linearen Verlauf zustreben. Am besten läßt sich das durch eine parabelartige Figur erreichen, deren beide Schenkel nach unten gerichtet sind, um den Zusammenhang dieser Krankheiten mit der Schwere, dem Gewicht der Stofflichkeit auszudrücken.

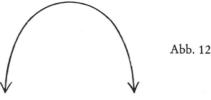

Abb. 12

Ein letztes Charakteristikum für den Krankheitstyp des dritten Jahrsiebents ist uns im Laufe unserer Betrachtungen schon wiederholt entgegengetreten und kann so ausgesprochen werden: immer mehr treten jetzt bei den Krankheiten die einzelnen Organe in den Vordergrund, die Lunge, die Leber, die Schilddrüse etc., wenn auch selbstverständlich der ganze Mensch dabei mehr oder weniger in Mitleidenschaft gezogen wird. Isolierte Organkrankheiten beginnen sich auszubilden, und damit ist der Übergang gegeben zu einem Krankheitstypus, der dann im Erwachsenenalter noch stärker hervortritt. Darauf soll im letzten Kapitel kurz eingegangen werden.

Die Proteststimmung, die das Verlassen der Kindheit, der Eintritt in die Erdenverhältnisse auf jeden Fall in dem jugendlichen Menschen mehr oder weniger bewußt auslöst, kann sich rein seelisch in Opposition, Ablehnung, tobendem und ungebärdigem Verhalten ausleben, sie kann zur körperlichen Krise, zur Krankheit werden, sie kann aber auch aus schicksalsmäßigen und organischen Gründen dazu führen, daß der Eintritt in die Erdenverhältnisse endgültig «abgelehnt» wird. Die Kinder können oder wollen nicht länger leben. Die Schwelle der Pubertät wird zur Todesschwelle. Ein elfjähriges Mädchen sagte mir einmal spontan: «Entweder möchte ich mit 14 Jahren sterben oder sehr alt werden.» In einem solchen Ausspruch liegt das halbbewußte Vorgefühl des kritischen Lebensabschnittes, dem das Kind sich nähert. Aufgabe der Erziehung ist es, diejenigen Kräfte im Kinde wachzurufen, die ihm über diese Krise hinweghelfen, die es stärken für die Auseinandersetzung mit den aus der Erde aufsteigenden Todeskräften. Wie es im ersten Jahrsiebent um die im Raum sich gestaltende Plastik des menschlichen Leibes ging, im zweiten Jahrsiebent um das in der Zeit sich darlebende Seelenleben des Kindes, so kommt es im dritten Jahrsiebent darauf an, daß das von Raum und Zeit unabhängige Innere des Menschenwesens sich herausarbeitet. – Es ist ja auch kein Zufall, daß diejenige christliche Handlung, die die Lebenshilfe für dieses Alter darstellt, die Konfirmation, gerade zu Ostern stattfindet, in der Jahreszeit also, in die das große kosmische «Stirb und Werde» eingeschrieben ist.

Kein anderes Lebensalter ist so reich an plötzlichen unerklärlichen Todesfällen aus scheinbar voller Gesundheit heraus (49). Wenn man in solchen Fällen häufig eine große Thymusdrüse (Bries) gefunden hat, während diese in der Kindheit gut ausgebildete Drüse sich sonst mit der Pubertät zurückbildet, so besagt ein solcher Befund eben, daß das Kind den Schritt von der Kindheit zur Jugend nicht wirklich vollzogen hat, daß die Erdenreife nicht erreicht wurde.

Die Gefährdung durch Selbstmorde und Selbstmordversuche ist in der Pubertät besonders groß. Das Schulkind im Volksschulalter beschäftigt sich noch nicht eigentlich mit dem Gedanken an den T o d, wenn es auch die Angst vor dem Tode als Lebensgefühl schon intensiv erleiden kann. Jetzt aber tritt der Tod als Lebensrätsel auf, dem sich das Kind manchmal in einer eigenartigen, halb spielerischen Weise nähert, so daß man nachher nicht entscheiden kann, ob wirklich eine Selbstmordabsicht oder ein Unglücksfall vorgelegen hat. Zwei Zeitungsnotizen können zeigen, um was es sich da handelt. Die erste bringt unter dem Titel «Tödliches Ende gefährlichen Spiels» folgenden Bericht (50): «Eine furchtbare Nachricht durcheilte am Dienstagabend und gestern wie ein Lauffeuer den Ort E. Ein 14jähriger, lebensfroher Junge wurde am Spätnachmittag des Dienstag auf dem Speicher seiner elterlichen Wohnung erhängt aufgefunden. Der sofort herbeigerufene Arzt konnte nur noch den Tod des Jungen feststellen. Die Ermittlungen der Polizei haben ergeben, daß es sich mit an Sicherheit grenzender Wahrscheinlichkeit um einen Spielunfall mit tragischem Ausgang handelt. Der Junge muß allem Anschein nach mit dem zur Schlinge geknüpften Ende einer Wäscheleine – vermutlich angeregt durch die Lektüre billiger Schundromane – experimentiert und dabei den Tod gefunden haben ... In den letzten Jahren mußte bereits mehrfach über tödliche Spielunfälle von Kindern berichtet werden, die sich an anderen Orten des Landes aus gleicher Ursache und auf die gleiche Weise ereignet haben.» Eine zweite Zeitungsnachricht (51): «Ein Opfer allzu leichtsinnigen Spielens wurde in Bad B. der 14jährige Handelsschüler H. W. Der Junge hatte mit seinem jüngeren Bruder im Walde gespielt und sich, als dieser mit dem Rade in die Stadt fuhr, von ihm

mit den Worten verabschiedet: ‹Wenn du zurückkommst, überfalle
ich dich.› Als der Bruder wenig später wiederkam, fand er H. an
einer Böschung am Wege tot an einem Ast hängen. H. hatte vermutlich seinen zurückkehrenden Bruder erschrecken wollen und sich
eine Schlinge geknüpft, den Kopf hineingesteckt und war dann aus-
gerutscht.» Das sind leider keine Einzelfälle. In manchen Fällen
wird aber deutlich, was aus diesen Zeitungsartikeln nicht hervorgeht, daß sich das Kind schon länger vorher in irgendeiner Weise
mit dem Gedanken an den Tod beschäftigt hat, ohne daß doch eine
eigentliche Selbstmordabsicht vorzuliegen schien.

In anderen Fällen ist zwar die Absicht eindeutig, der unmittelbare
Anlaß für den Selbstmord aber so gering, daß man wiederum vor
einem Rätsel steht. Auf die hier möglichen Zusammenhänge deutet
eine Stelle aus einem Vortrag Rudolf Steiners (52): «Nehmen wir
nun einmal an, um etwas von diesem verborgenen Seelenleben klar-
zumachen, ein Kind habe vielleicht in seinem 7. oder 8. Jahre oder
in einer anderen Lebenszeit dieses oder jenes erfahren; es habe z. B.
erfahren, wofür Kinder sehr häufig ganz besonders empfänglich
sind, Ungerechtigkeit – Ungerechtigkeit, indem es beschuldigt wurde,
dies oder jenes getan zu haben, was es in Wahrheit nicht getan hat;
oder die Bequemlichkeit der Umgebung des Kindes, um wenigstens
mit der Sache fertig zu werden, habe das Kind beschuldigt, dies oder
jenes getan zu haben. Kinder haben ein ganz besonders reges Emp-
finden dafür, wenn ihnen in dieser Weise eine Ungerechtigkeit zu-
gefügt wird. Aber, wie das Leben nun ist, nachdem sich dieses Erlebnis tief eingefressen hat in das kindliche Leben, legt das spätere
Leben die anderen Schichten des Seelendaseins darüber, und das
Kind hat für alles, was das Alltagsleben betrifft, ein Vergessen. Es
könnte nun auch sein, daß eine solche Sache niemals wieder auf-
tauchen würde. Aber nehmen wir an: im 15./16. Jahre erfährt das
Kind – sagen wir in der Schule – eine neue Ungerechtigkeit. Und
jetzt wird das wirksam, was sonst tief unten in der wogenden Seele
ruht. Das Kind braucht es gar nicht einmal zu wissen, kann sich
ganz andere Vorstellungen und Begriffe bilden als zu wissen, daß
heraufwirkt eine Reminiszenz dessen, was es in früheren Jahren

erlebt hat. Wäre das aber, was früher vorgegangen ist, nicht geschehen, so würde es, wenn z. B. das Kind ein Junge ist, nach Hause gehen, ein bißchen weinen, vielleicht auch ein bißchen schimpfen – es würde aber darüber hinweggehen. So aber ist jenes frühere Ereignis geschehen; und ich betone ausdrücklich, daß das Kind nicht zu wissen braucht, was da vorgekommen ist. Und das wirkt! Wirkt unter der Oberfläche des Seelenlebens, wie unter dem glatt ausschauenden Meeresspiegel die Wogen aufgerührt werden können; und aus dem, was sonst vielleicht ein Weinen, ein Klagen oder ein Schimpfen geworden wäre, wird nun ein Schülerselbstmord!»

Auch hier fällt der Selbstmord in das Pubertätsalter. Aber noch etwas anderes ist für uns an diesem Beispiel wichtig: wir sehen, wie hier etwas, das im zweiten Jahrsiebent in fast unmerklicher und noch reversibler Form veranlagt wird, im dritten Jahrsiebent, wenn weiter nichts geschieht, zu seinen nun unausweichlichen Konsequenzen führt. Der hier geschilderte Ausgang hätte sich vermeiden lassen, wenn man den tiefgehenden Einfluß der ersten Ungerechtigkeit auf das kindliche Seelenleben beachtet und nun alles darangesetzt hätte, dem Kinde noch im Volksschulalter sein Gerechtigkeitsgefühl tief befriedigende Erlebnisse zu verschaffen. Es liegt ein ähnlicher Zusammenhang innerhalb des Seelenlebens vor, wie wir ihn auf der gesundheitlichen Ebene schon früher als Zusammenhang zwischen funktioneller Gesundheitsstörung im zweiten Jahrsiebent und organischer Krankheit im dritten Jahrsiebent kennengelernt hatten. Wie das, was im zweiten Jahrsiebent noch als flüchtige Durchblutungsstörung in vorübergehender Blässe und ohnmachtsähnlichen Anwandlungen sich zeigte, im dritten Jahrsiebent zur objektiv feststellbaren Herz- und Kreislauferkrankung werden kann, so wird das, was erst im Gefühlsleben als noch ausgleichbare Kränkung über die erlittene Ungerechtigkeit wühlte, dann später zum unaufhaltsamen Willensantrieb, der zur sichtbaren Tat führt.

Aber auch rein organische Ursachen sind für den Tod im Pubertätsalter verantwortlich. So bedeutet die Pubertät für alle Kinder mit Herzfehlern eine Klippe. Konnte das Herz den Fehler bis zu diesem Zeitpunkt noch ausgleichen (kompensieren), so beginnt es jetzt häufig zu versagen. Namentlich von den Kindern mit angeborenen schweren Herzfehlern* überleben wenige das Pubertätsalter, wenn nicht eine operative Korrektur möglich ist. Diese Kinder erreichen nicht die dem Erdenbewußtsein entsprechende Trennung von rotem und blauem Blut, die sich schon im Augenblicke der Geburt dadurch hätte vollziehen sollen, daß die bis dahin bestehende Verbindung zwischen rechtem und linkem Herzen sich mit dem ersten Atemzuge schließt. So können sie die eigentliche Erdenreife erst recht nicht erreichen. Solche Kinder sind auch in ihrer allgemeinen körperlichen Entwicklung verzögert, man spricht von ihrem «Infantilismus». Sie vermeiden möglichst die aufrechte Haltung und nehmen mit Vorliebe eine der embryonalen Haltung ähnliche Hockerstellung ein. In alledem spricht sich aus, daß sie die Erde eigentlich nicht betreten wollen.

Auch bei scheinbar ganz gesunden Herzen kann es in der Pubertät aus geringfügigem Anlaß zu einem plötzlichen Herztod kommen: «Am 30. Mai starb in dem pfälzischen Ort P. die 13jährige G. S. Das Mädchen hatte am Vormittag an einer Schulwanderung teilgenommen und spielte mittags vor dem Haus. Als die Mutter G. in die Wohnung rief, wurde das Kind aufsässig und erhielt von der Mutter eine Ohrfeige. Nicht stärker und nicht schwächer als Tausende von Kindern jeden Tag von ihren Müttern bekommen. Aber die Folgen waren in diesem Fall ungleich schwerer. Es wurde G. übel. Sie ging in die Küche, um ein Glas Wasser zu trinken. Dann legte sie sich im Wohnzimmer auf das Sofa. Als man nach vier Stunden nach ihr sah, lag sie zuckend am Boden. Der Arzt wurde alarmiert, aber ehe er mit seinem Auto die Wohnung des angesehenen Kaufmanns-Ehepaares erreichte, war G. schon tot. – Am selben Tage stand in K. in Hessen der Bergmann K. S. erschüttert vor seiner 16jährigen toten Tochter M. Er hatte ihr kurz vorher Vorhaltungen gemacht. Als das Mädchen heftig widersprach, packte ihn

---

* Es ist hier vor allem die sogenannte Fallotsche Tetrade gemeint, bei der sich außer einem Defekt der Kammerscheidewand noch eine Verengung der Lungenschlagader, eine Rechtsverlagerung der Körperschlagader sowie eine Vergrößerung des rechten Vorhofs findet.

der Zorn. Er nahm eine Harke und versetzte ihr mit dem Stiel einen einzigen Schlag. Zeugen sagten übereinstimmend: ‹Der Schlag war nicht schwer. Es war eine reine Züchtigung von einem aufgeregten Vater. Sonst nichts.› Trotzdem starb M., und zwar unter denselben Umständen wie G.: Es wurde ihr schlecht, sie legte sich ins Bett. Der Arzt kam zu spät. Genau vier Stunden nach der Züchtigung durch den Vater war auch M. gestorben» (53).

In beiden Fällen wurde als das Resultat der Obduktion ein plötzlicher Herztod angegeben, den man auf die vorangegangene große Aufregung zurückführte. Mit Recht spricht man zur Erklärung solcher Ereignisse von der allgemeinen gewaltigen Umstellung des Körpers in diesem Lebensalter, die sich auch auf das Herz auswirkt. Aber es gibt eine Angabe Rudolf Steiners, die noch deutlicher macht, warum gerade das Herz in diesem Lebensalter von einer besonderen Labilität ist. Rudolf Steiner spricht von der Veränderung, die in der übersinnlichen Struktur des Herzens vor sich geht: «Das vererbte Ätherherz, das wir bis zur Geschlechtsreife haben, wird ausgestoßen, und wir bekommen unser eigenes Ätherherz» (54). Für die physische Untersuchung ist ein solches jugendliches Herz dann zwar gesund, aber in bezug auf seine ätherische Kräftestruktur befindet es sich in einem Übergangszustand, in dem es eine derartige schockartige Gemütsbewegung, bei der sicher die Verletzung des in diesem Alter so empfindlichen Ehrgefühls stark mitgespielt hat, nicht bewältigen kann.

Aus den Indianer- und Abenteurergeschichten unserer Jugend oder aus einer späteren Beschäftigung mit Völkerkunde erinnern wir uns, daß der Eintritt der Reife bei den sogenannten Naturvölkern verknüpft ist mit gewissen Riten und Zeremonien, namentlich für die männliche Jugend, reich an Entbehrungen und zum Teil sehr gefährlichen Prüfungen, die bis an die Todesschwelle führen.

Bei den Indianern Südkaliforniens müssen die jungen Männer drei bis vier Tage fasten, sie werden mit Brennesseln gepeitscht und müssen auf aufgewühlten Ameisenhaufen sitzen. Die Mädchen müssen drei Tage in einer Grube schwitzen und fasten. – Alles Bilder für die Auseinandersetzung mit den auflodernden Gewalten des Stoffwechsels.

Besonders eindrucksvoll ist ein Brauch, der von der Molukken-Insel Ceram beschrieben wird (47). Dort wird die herangewachsene männliche Jugend vor ein großes Tor geführt, das zu diesem Zwecke aufgerichtet wurde. Dazu wird gesagt: «Wer durch dieses Tor kommt, der bleibt Mensch, wer nicht hindurchkommt, mit dem wird es anders geschehen . . . Er wird entweder ein Geist oder ein Tier.» Nach dem Durchschreiten des Tores, das als Eingang in das Totenreich aufgefaßt wird, müssen die jungen Menschen einen heftigen gegenseitigen Kampf mit Bambuswaffen bestehen, bei dem alle Beteiligten ernsthafte Verletzungen davontragen.

Derartige Gebräuche finden wir ja innerhalb der abendländischen Menschheit nicht mehr, wenn wir nicht in den studentischen Mensuren noch einen letzten (allerdings altersmäßig etwas verschobenen) Nachklang sehen wollen. Aber das Leben selbst bringt in eigenartiger Weise Erscheinungen hervor, die auf diesen Schwellenübertritt der Pubertät hindeuten. Symptomatisch dafür ist eine Mitteilung, die sich unter dem Titel «Schlafsucht als Auftakt zur Menarche» in der kinderärztlichen Literatur (48) findet: ein 12jähriges gesundes Mädchen verfiel in einen 112stündigen (also 5 Tage währenden) Dauerschlaf, aus dem es erst mit dem Eintritt der ersten Periode wiederum völlig gesund erwachte. Während des Schlafzustandes wurde das Kind ins Krankenhaus geschafft, wo man aber nichts Krankhaftes feststellen konnte. Es schien nur eine Art Verpuppungszustand vor dem Erringen einer neuen Entwicklungsstufe durchzumachen.

Erinnert eine solche Mitteilung nicht – mit aller Vorsicht sei es gesagt und in dem Bewußtsein, daß die Ereignisse sich dort vor einem ganz anderen Hintergrund abspielen – an die Evangelien-Erzählung von dem Töchterlein des Jairus? Auch dort handelt es sich ja um ein 12jähriges Mädchen, von dem gesagt wird: «Das Kind ist nicht gestorben, sondern es schläft.» Bei der Erweckung aber ist nicht mehr von einem Kinde die Rede, sondern es heißt: «Jungfrau stehe auf!» (Talitha kumi).

Wie ein geistiges Urbild des mit der Pubertät sich vollziehenden Schwellenübertrittes steht dieser Evangelienbericht da. Wird die Schwelle überschritten, so ist die eigentliche Kindheit zu Ende. In manchen Fällen aber kommt es nicht dazu. Das Kind bleibt vor der Schwelle stehen oder wendet sich zurück. Dann wird die verborgene Beziehung zum Tode sichtbar, die dem Pubertätsalter eigen ist.

Die Entwicklung des Ich-Bewußtseins im Kindesalter

In den vorangehenden Kapiteln wurde geschildert, wie immer neue Anforderungen und Aufgaben im Laufe der aufeinanderfolgenden Lebensepochen an das Kind herantreten. In der Auseinandersetzung zwischen seinem inneren Wesen und solchen äußeren Anforderungen ergeben sich krisenhafte Situationen und Krankheitsmöglichkeiten. Bisher haben wir unsere Aufmerksamkeit mehr dem Wechsel der von außen herantretenden Anforderungen zugewendet. Aber auch das sich damit auseinandersetzende eigentliche Wesen des Kindes, sein «Ich», macht eine Wandlung durch und muß auf verschiedenen Stufen verschieden betrachtet werden.

Mit dem Worte «Ich» wird auf das innere Zentrum des Menschen hingewiesen, das es ihm möglich macht, sein Leben selbstverantwortlich in die Hand zu nehmen. Erst mit dem Eintritt der Mündigkeit, deren Beginn man aus alten Traditionen etwa auf das Alter von 21 Jahren ansetzt, wird diese Selbstverantwortlichkeit von dem Heranwachsenden erwartet. Dem Kinde werden wir sie noch nicht zuschreiben.

Und doch wird sich schon das Kind sehr früh des Zentrums in seinem Inneren bewußt, und seine Lebensäußerungen verraten das Eingreifen dieses zentralen Selbständigkeitsimpulses. Die Art aber, wie das kindliche Ich-Bewußtsein sich äußert, zeigt deutlich, daß es sich dabei um ein verfrühtes d. h. unreifes Auftreten einer Bewußtseinsstufe handelt, die ihre eigentliche Reife erst mit der Mündigkeit erreicht. Verfrühung und Unreife sind Züge, die notwendigerweise in krisenhafte Situationen führen. Die Hilfe für das Kind bei diesen Krisen kann nicht darin bestehen, die verfrühte Selbständigkeit noch zu fördern, sondern nur darin, sie durch die dem Lebensalter entsprechenden Erziehungsprinzipien aufzufangen: durch die «Nachahmung» im ersten Jahrsiebent, durch die «Autorität» im zweiten Jahrsiebent. Leicht lassen wir uns verführen – und darin liegt ein gewisser Erwachsenenegoismus –, uns gerade über d i e Lebensäußerungen des Kindes zu freuen und sie anzuregen, in denen es uns ähnlich ist und als selbständig, gescheit, mit einem Wort als «altklug» erscheint. Wir tun ihm damit nichts Gutes. Die in der Altklugheit liegende Verfrühung setzt sich fort und kann im späteren Leben in frühen Vergreisungserscheinungen herauskommen.

Das erste Erwachen des Ich-Bewußtseins wird unübersehbar dadurch markiert, daß das Kind anfängt, zu sich selber «Ich» zu sagen. Das ist mit etwa drei Jahren der Fall. In einer merkwürdig übersteigerten Form tritt diese erste Äußerung des kindlichen Selbstbewußtseins auf. Die Kinderpsychologen sprechen da von dem «Trotzalter» des Kleinkindes. Ein kindliches Auftrumpfen, ja eine Art Auflehnung wird sichtbar. «Ich will» und vor allem «Ich will nicht» werden zu viel gebrauchten Aussprüchen. In dem Betonen des eigenen Willens und der Verneinung fremder Willensansprüche wird sich das Kind des Gegensatzes zwischen Ich und Welt in einer ersten Weise bewußt. Die Möglichkeit dieses Gegensatzes erlebt es mit einem gewissen Genuß. Wenn der Wille des Kindes nicht anerkannt wird, so kann es zu eindrucksvollen Wutausbrüchen, Schreien, Toben, Sichhinwerfen kommen, womit der kleine Herrscher dann häufig doch seinen Willen durchsetzt.

Die kindliche Übersteigerung des Eigenwillens führt in diesem Alter manchmal zu Erscheinungen, die hart an das Pathologische streifen: das sogenannte «Wegschreien» oder «Wegbleiben» (respiratorische Affektkrämpfe) der Kinder. Das Kind schreit so stark – und das tut es ja, indem es ausatmet –, daß es gewissermaßen wieder einzuatmen vergißt. Die Atmung setzt aus, das Gesicht verfärbt sich bläulich, das Kind verliert das Bewußtsein und stürzt rücklings zu Boden. Nach wenigen Sekunden setzt die Atmung mit einer tiefen Einatmung wieder ein und das Kind erholt sich. Der ganze Vorgang bleibt ohne nachteilige gesundheitliche Folgen, wirkt aber doch so bedrohlich, daß die Eltern zum Nachgeben neigen. Sie hoffen damit, eine Wiederholung des erschreckenden Ereignisses zu vermeiden. Pädagogisch der richtige Weg ist es aber, den «Anfall» zu ignorieren und dem Kinde mit Gelassenheit und Festigkeit gegenüberzutreten. Gelassenheit und Festigkeit setzen sich dann über die in diesem Lebensalter elementar wirkende Nachahmungsfähigkeit in das Kind hinein fort und erzeugen in ihm allmählich die Kraft, die dem überschießenden Selbständigkeitsimpuls das Gleichgewicht hält.

Ein Beispiel für dieses krisenhafte Geschehen kann uns ein im dritten Lebensjahr stehender Junge liefern, der als einziges Kind seiner berufstätigen Eltern tagsüber von den Großeltern versorgt wurde. Diese verwöhnten ihn sehr und schlugen ihm keinen Wunsch ab. Kamen abends die Eltern nach Hause und verlangten etwas von ihm oder erfüllten ihm einen Wunsch nicht, so fing er mörderisch an zu brüllen, wurde erst hochrot, dann bläulich im Gesicht; dann verstummte er plotzlich, machte einige krampfhafte Atembewegungen und schaute sich ängstlich und hilfesuchend um. Der Zustand sah bedrohlich aus, so daß die Eltern den Jungen rasch in die Arme nahmen und ihm kräftig auf den Rücken klopften. In der Regel erholte er sich rasch. Einmal aber war er eine Zeitlang bewußtlos. Bei den Großeltern war es noch nie zu einem Anfall gekommen. Sie machten deshalb den Eltern Vorwürfe, daß sie durch ihre Strenge die Erkrankung verursacht hätten.

Es hat etwas Köstliches, die ersten Offenbarungen des kindlichen Ich-Bewußtseins in ihrer Frische und ihrem Kraftüberschwang mitzuerleben. Aber gerade an einer so extremen Erscheinung wie dem «Wegbleiben» wird deutlich, daß hier das kindliche Ich noch in einer unreifen Form auftritt. Das Krafterlebnis führt sich selber ad absurdum, indem es in der Ohnmacht endet.

In ganz anderer Weise offenbart sich eine neue Stufe des Ich-Bewußtseins um das 9./10. Lebensjahr. Darauf wurde schon bei der Darstellung des zweiten Jahrsiebents hingewiesen. Nicht im Willen, sondern im Fühlen, nicht im Krafterlebnis, sondern im Gegenteil, im Gefühl der Schwäche, Unsicherheit, Verlassenheit, ja in Verzagtheit und Angst erlebt sich diesmal das Ich. Das Kind, das sich bis dahin noch getragen und geborgen fühlte von seiner Umwelt, wird sich nun in neuer Weise und deutlicher seines Gegensatzes zur Welt bewußt. Die Autorität des Erwachsenen wird nicht mehr selbstverständlich hingenommen. Erste Regungen der Kritik treten auf. Eltern und Lehrer bekommen das sehr deutlich zu spüren. Im Sichdistanzieren erfährt sich das Ich, aber in einem Schwäche- und Einsamkeitserlebnis. Es hat noch nicht die Kraft, wirklich ganz auf sich selbst gestellt der Welt gegenüberzutreten. Rudolf Steiner, der besonders in pädagogischen Zusammenhängen wiederholt auf die Bedeutung des 9./10. Lebensjahres hingewiesen hat, betonte, daß bei diesem Infragestellen der Autorität wenigstens ein Mensch bleiben müsse, zu dem das Kind weiterhin uneingeschränkt Vertrauen hat. Findet sich dieser Mensch nicht, so bleibt eine innere Schwäche, die in das weitere Leben hineinwirkt. Was das Kind da braucht, ist im Grunde genommen ein väterliches Element, wenn es auch durchaus nicht immer durch den eigentlichen Vater repräsentiert werden muß. Es kann auch der Lehrer sein oder die Mutter oder ein ganz anderer Mensch, an dem das Kind das innerlich Haltgebende erlebt.

Das zarte Gefühlselement, das das seelische Erleben des neunjährigen Kindes kennzeichnet, ermöglicht auch ein verinnerlichtes Gewahrwerden der Umwelt, das sich manchmal in ersten kleinen Gedichten, in einer Art Naturlyrik offenbart.

Ein sehr sanftes und braves neunjähriges Mädchen sah eines Morgens beim Familienfrühstück seine Mutter lange und nachdenklich an und sagte schließlich: «Mutter, du bist eigentlich etwas dick!» Eine solche Beurteilung wäre dem Kinde früher nie eingefallen. Seine Mutter war eben seine Mutter und konnte nur so und nicht anders aussehen, als sie nun einmal aussah. Jetzt, mit dem größeren Abstand zu seiner Umwelt, wurde dem Kinde eine solche neue Erkenntnis möglich, die aber zugleich eine Beeinträchtigung des bisher in jeder Hinsicht als vollkommen erlebten Bildes von seiner Mutter bedeutete. – Das gleiche Mädchen machte dann in den Sommerferien desselben Jahres kleine Gedichte, in denen es in unbeholfener, aber inniger Weise wiederzugeben versuchte, was es an Blumen und Insekten erlebte. Diese Fähigkeit verlor sich bald wieder. Es wäre auch falsch gewesen, sie besonders zu betonen und zu unterstützen. So rührend und ansprechend diese Gedichtchen wirkten, so waren sie doch der Ausdruck eines verfrühten Impulses, der sich nur dann später kraftvoll entfalten kann, wenn er jetzt nicht vorzeitig herausgelockt wird.

Die Labilität und Zartheit des seelischen Erlebens setzt sich in die Labilität des Gesundheitszustandes fort. Alle die stark wechselnden Erscheinungen wie Kopfschmerzen, Bauchschmerzen, Herzklopfen etc., die wir schon als «Schulkrankheit» geschildert hatten, erfahren jetzt ihre Kulmination. Von englischen Autoren werden sie auch als das «periodische Syndrom» bezeichnet. Damit wird ihr wechselnd-schwankender Charakter betont. Dieselben Autoren sprechen die Vermutung aus, daß allen diesen Erscheinungen, so verschieden sie sind, eine gemeinsame Ursache zugrunde liegen müsse; sonst würden sie sich nicht untereinander vertreten können. Wo aber liegt diese gemeinsame Ursache? Sie liegt in der geschilderten labilen i n n e r e n Situation des Schulkindes, die um das 9. Lebensjahr kulminiert. Die verschiedenen äußeren Belastungen, wie sie als Reizüberflutung, als Auflösung des familiären Zusammenhanges, als schulische Überbeanspruchung etc. auftreten, sind nicht die eigentliche Ursache, wenn sie auch auslösend wirken. Sie könnten sich aber nicht in dieser Weise krankmachend auswirken, wenn sie nicht das Ich des Kindes auf einer Stufe antreffen würden, in der es diese Einflüsse ungeschützt noch nicht voll verarbeiten kann.

Wiederum müssen wir sagen: Nicht der Versuch, diesen verfrühten Selbständigkeitsimpuls als solchen zu fördern, kann hier helfen. Das würde nur zu weiterer Überforderung führen. Das eigentliche Erziehungsprinzip dieses Lebensalters, die «Autorität», muß seine Kraft auch in dieser krisenhaften Situation bewähren, indem «wenigstens ein Mensch» bleibt, der der erwachten Kritik standhält. Wie ein kleines Bäumchen, das zwar schon aufrecht stehen kann, doch noch durch einen Sturm geknickt werden könnte, wenn es nicht an einen Stützpfahl festgebunden wäre, so würde auch das Kind einen Knick in seiner Persönlichkeitsentfaltung erfahren, wenn es sich jetzt nicht an einem Menschen halten könnte.

Nachdem diese beiden Vorstufen des Ich-Bewußtseins durchgemacht worden und die damit verbundenen Krisen abgelaufen sind, dauert es noch lange, bis dann mit 21 Jahren das eigentliche vollgültige Ich-Bewußtsein erreicht wird. Jetzt erst vollzieht sich das, was mit Recht als die «Geburt des Ich» bezeichnet werden kann. Es ist die Stufe der Mündigkeit.

Mit drei Jahren erlebt sich das Ich im kindlichen Willensanspruch. Mit 3 x 3 Jahren im schwankenden Gefühlselement. Mit 3 x 7 Jahren ist der Mensch so weit, daß er Lebenssicherheit und Urteilskraft aus dem Ich-Erleben im Denken gewinnen und voll verantwortlich in das Leben eingreifen kann.

Es ist charakteristisch für das zentrale menschliche Wesensglied, daß es sein Ziel erst nach wiederholten Ansätzen erreicht. Im immer erneuten Versuch liegt das Motiv für d e n Entwicklungsantrieb, der aus eigener innerer Aktivität entspringt. Man kann dieses Motiv auch in noch größeren Zusammenhängen erblicken, die den einzelnen menschlichen Lebenslauf überspannen: dann wird es zu den immer neuen Ansätzen, in denen die menschliche Individualität in aufeinanderfolgenden Inkarnationen ihrer Verwirklichung zustrebt.

Schulärztliche Gesichtspunkte

Das eigentliche Schulalter, das 2. Jahrsiebent, ist die gesündeste Zeit im menschlichen Leben. Das wurde schon ausgeführt (Kap. II), und es wurde auch darauf hingewiesen, daß nur ein scheinbarer Widerspruch darin liegt, wenn gerade in diesem Alter die Kinder mit so vielen verschiedenen Symptomen der «Schulkrankheit» in der Schulsprechstunde erscheinen. Bei den wechselnden Beschwerden, mit denen man es da zu tun hat, handelt es sich nicht um definierte Erkrankungen, sondern mehr um Unpäßlichkeiten, um Störungen des Allgemeinbefindens, um noch nicht festgelegte Vorzustände, die zwischen seelischen und organischen Erscheinungen hin und her spielen.

Der Schularzt im Sinne Rudolf Steiners, der alle Kinder der Schule kennt, kann sich ein Bild machen von ihrem Verhalten, von ihren Temperamenten und von ihren Stimmungslagen, in denen sich solche kommenden Krankheitszustände schon ankündigen können. Er steht vor der Aufgabe, diese Vorzustände abzufangen, bevor sie sich zu eigentlichen Krankheitserscheinungen verdichten. Nicht nur die Schulsprechstunde gibt ihm Gelegenheit, die Schüler kennenzulernen, sondern auch die Konferenz mit den Berichten der Lehrer und der Unterricht, entweder der selbsterteilte oder der bei der Hospitation in der Klasse miterlebte.

Die so im Darinnenstehen in der pädagogischen Strömung gemachten Erfahrungen transformieren sich ihm im Durchdenken in die zugrunde liegende menschenkundliche Situation, aus der u. U. medizinische Konsequenzen zu ziehen sind. Das gilt nicht nur für die erwähnten Erscheinungen der Schulkrankheit, sondern auch für andere bei den Schülern auftretende Symptome. Hört er etwa in der

Konferenz von einem Schüler, der gute Aufsätze schreibt, aber im Rechnen völlig versagt, so wird er vermuten, daß es sich hier um ein «großköpfiges Kind» handelt, dessen Konstitution spezielle Behandlungsmaßnahmen verlangt. Auf der andern Seite werden seine medizinischen Beobachtungen und Kenntnisse für den Lehrer wichtig. Er kann dafür sorgen, daß man ein leicht hirngeschädigtes Kind (Kap. I) eher etwas zu spät als zu früh einschult, daß man auf die beschränkte körperliche Leistungsfähigkeit eines herzkranken Kindes Rücksicht nimmt, daß die Situation eines epileptischen Kindes in der richtigen Weise in das Klassenganze hineingestellt wird (60). Es ist eine Art Übersetzertätigkeit, die da vom Schularzt verlangt wird. Was er dadurch aus dem medizinischen Bereich in die Pädagogik hereinträgt, unterstützt den Lehrer in seiner Tätigkeit. Was der Lehrer von seinen Erfahrungen berichtet, kann wieder dem Schularzt zu einem therapeutischen Einfall verhelfen. Je lebendiger ein solcher pädagogischer Bericht das eigentliche Wesen des Schülers erfaßt, desto leichter läßt sich die darin verborgene menschenkundlich-medizinische Seite entdecken.

In geradezu klassischer Art hat Erich Gabert zwei Richtungen des erzieherischen Einflusses einander gegenübergestellt. Seine Darstellung des mütterlichen und väterlichen Elements in der Erziehung (61) ist so grundlegend, daß sie sich unmittelbar in die medizinisch-menschenkundliche Sprache der Substanzwirkungen übersetzen läßt (62). Das soll im Folgenden gezeigt werden, wobei zunächst die Gabertschen Ausführungen – z. T. im Wortlaut – vorangehen:

Am Anfang der Kindheit, in der ersten Erziehungszeit, macht sich das Mütterliche am stärksten geltend, «ja, die vollste Erfüllung des Mütterlichen liegt eigentlich in den Monaten vor der Geburt. Nie wieder hat die Mutter das Kind so ‹ganz› und so ganz ‹für sich allein›. Jetzt ist die allerinnigste Verbindung vorhanden, die überhaupt denkbar ist, mit der ganzen Leiblichkeit, und man könnte sagen, daß aller und jeder mütterliche Einfluß später immer nur eine Übertragung auf andere Gebiete ist von dem, was in diesen Monaten leiblich geschieht. Daher kommt es, daß man im Untergrunde des Mütterlichen so oft etwas wie ein Zurücksehnen findet nach dieser Zeit des Ganz-

Umfangen-Könnens.» Auch in den ersten Jahren nach der Geburt ist das mütterliche Element das Überwiegende. «Erziehung ist in dieser Zeit noch Umhüllen, Umsorgen, Umwärmen in allen Verrichtungen für den Körper des Kindes: Trockenlegen, Wickeln, Tränken. Aber mit Liebkosen, Spielen, Schwätzen, In-den-Schlaf-Singen geht es schon zum Seelischen hinüber.» Wie auch das mütterliche Wirken sich dem heranwachsenden Kinde gegenüber verwandelt, immer ist es «ein Mit-Wärme-Umgeben, mit seelischer und leiblicher Wärme, ein Schützen gegen Unbilden von außen.»
Selbstverständlich ist das, was hier als das mütterliche Element geschildert wird, nicht nur an die Mutter gebunden, wenn es auch vor allem von ihr ausgehen wird. Aber auch vom Vater kann es ausgehen, vom Lehrer und seiner Erziehungsmethode, ja, wie wir noch sehen werden, auch die ärztliche Verordnung kann dieses Element enthalten.
Steht so das umhüllende, mütterliche Element am Anfang der kindlichen Entwicklung, um nach und nach – zum Schmerz der Mutter – in seinem Einfluß abzunehmen, so «wird der väterliche Einfluß gegen das Ende der Erziehungszeit hin überwiegend. Der Vater – wenn wir abkürzend so sagen wollen; es kann das Väterliche aber auch von anderen ausgehen – schaut nicht zurück, sondern sein Blick geht vorwärts in das, was man ‹das Leben› nennt. – Wenn die Mutter das Neugeborene in die Kindheit hineinführt und es darin halten möchte, so führt der Vater aus der Kindheit hinaus ins Leben. Die Mutter ist für das kleine Kind die Welt schlechthin, nichts wird erlebt als durch sie. Der Vater trägt später in die Kindeswelt hinein, was von außen kommt, was wohl lockt, was aber auch Furcht erregen würde, wenn man die väterliche starke Hand nicht fühlte. Er ist es, der dieses da draußen meistert; er ist stark, er kann alles und kann alles am besten». Das väterliche Element verleiht dem Kinde die Kraft, das aus der Außenwelt in die kindliche Welt hinein Wirkende zu verarbeiten. Es gibt den festen Halt, «den das Kind braucht, vor allem in der Zeit, in der die eigene Selbständigkeit sich vorzubereiten beginnt. ‹Wehre dich›, ist die väterliche Devise.»
Erich Gabert führt dann im weiteren aus, wie Mütterliches und

79

Väterliches in älteren Zeiten durch den Ablauf des Familienlebens in naturgemäßer Weise ineinandergegriffen und so aus den gegebenen Lebensverhältnissen heraus die rechten Erziehungseinflüsse auf das Kind eingewirkt haben. Heute, bei der fortgeschrittenen Auflösung der Familie, werden die Erziehungsaufgaben weitgehend vom Kindergarten und von der Schule übernommen. Gabert zeigt, wie in den verschiedenen Schultypen mütterliches und väterliches Element schroff auseinandergerissen werden und wie sie in den nach dem Lehrplan Rudolf Steiners arbeitenden Schulen bis in alle Einzelheiten zu einem dem kindlichen Lebensalter jeweils entsprechenden Zusammenwirken gebracht werden können.

Wenden wir uns nun der Menschenkunde zu, so ist es eine seit Jahrhunderten bekannte Tatsache, daß das menschliche Blut ein Metall enthält, das Eisen. Man weiß von seiner wichtigen Rolle für die Atmung, wie es – gebunden an den Farbstoff der roten Blutkörperchen – den eingeatmeten Sauerstoff durch den Körper trägt und die entstandene Kohlensäure wieder zur Lunge zurückführt. Die Gesamtmenge dieses Eisens ist gar nicht so klein. Sie beläuft sich auf einige Gramm, hält sich also innerhalb einer für unsere natürlichen Sinne erfaßbaren Größenordnung.

Seit einigen Jahrzehnten kennt man eine weitere Form des Eisens im menschlichen Blut. Sie ist nicht an die roten Blutkörperchen gebunden, sondern an die Blutflüssigkeit, das Serum. Man spricht deshalb vom Serumeisen. Dieses Vorkommen des Eisen wurde deshalb spät entdeckt, weil es sich in so unvorstellbar geringen Mengen findet, daß es erst mit den heutigen verfeinerten Instrumenten und Methoden nachgewiesen werden kann. Die Maßeinheit ist hier das millionstel Gramm, und die Gesamtmenge dieses Eisens im menschlichen Blut beträgt einige tausendstel Gramm. Gleichzeitig mit dieser «unsichtbaren» Form des Eisens fand man als weiteres Metall im menschlichen Blut noch das Kupfer, das nur in dieser feinstofflichen Form vorkommt. Die Wirkungen dieser beiden «Spurenelemente» im organischen Geschehen sind trotz – oder vielleicht wegen – ihrer geringen Mengen sehr bedeutend. Sie zeigen gesetzmäßige Schwankungen im Ablauf von Krankheiten, im Tageslauf und auch im Lebenslauf.

Dabei ist auffallend, daß sie sich fast immer polar verhalten. Steigt der Eisengehalt, so fällt der Kupfergehalt, und umgekehrt. Eine besonders markante Polarität zeigt sich im Unterschied der Geschlechter. Beim Mann überwiegt das Eisen, bei der Frau tritt in der Kupfer-Eisen-Relation das Kupfer stärker hervor als beim Mann. Das Eisen im Blut zeigt eine Beziehung zum väterlichen Element, das Kupfer zum mütterlichen. Alles, was Gabert von dem wärmend-umhüllenden Charakter des mütterlichen Elements schildert, läßt sich ebenso vom Kupfer sagen; was er über das väterliche Element und seinen festigenden Einfluß ausführt, gilt auch für das Eisen.

Wenn Gabert sagt, «die vollste Erfüllung des Mütterlichen liegt eigentlich in den Monaten vor der Geburt», so zeigt die Physiologie entsprechend, daß niemals sonst im gesunden Lebensablauf ein so hoher Serum-Kupfer-Spiegel erreicht wird wie im Blut der Schwangeren. Darin spricht sich das mächtige Walten der organisch-mütterlichen Kräfte aus. Umgekehrt wird bei einer Krankheit, die mit einer mehr oder weniger bewußten Abneigung der Mutter gegen die Schwangerschaft einhergehen kann (Hyperemesis gravidarum), häufig ein erniedrigter Kupferspiegel festgestellt.

Nachdem der kritische Wendepunkt der Geburt – und die mit diesem verbundenen Umwälzungen auch im kindlichen Blute – überstanden ist, finden wir im Blute des kleinen Kindes einen hohen Kupferspiegel und einen niedrigen Eisenspiegel. Das entspricht dem geschilderten Vorwiegen des mütterlichen Einflusses in der ersten Lebenszeit. Charakteristischerweise zeigt die Frauenmilch einen relativ hohen Kupfergehalt, wesentlich höher als der der Kuhmilch. Wie nun der mütterliche Einfluß allmählich zurückgeht, so beginnt vom 3. Lebensjahr an auch der Kupferspiegel abzusinken, während der Eisenspiegel im ständigen Steigen ist. Das Steigen der Eisenkurve und das Fallen der Kupferkurve setzt sich bis zur Pubertät fort; dann kommt eine Stabilisierung zustande.

Was Gabert über das Nachlassen des mütterlichen Elements und über das Stärkerwerden des väterlichen Elements während der kindlichen Entwicklung ausführt, findet seine substantielle Entsprechung im

Verlauf der Kupfer-Eisen-Relation im kindlichen Blut. Man kann sagen: Kupfer ist das mütterliche Element, Eisen ist das väterliche Element; der Begriff «Element» hier ganz im chemischen (bzw. physiologisch-chemischen) Sinne gemeint.

Übrigens findet das, was Kupfer und Eisen im menschlichen Blute über ihre innere Natur offenbaren, eine interessante Parallele in manchen Ergebnissen der Vorgeschichtsforschung. Eine Zeit, die wie die nordische Bronzezeit durch den überwiegenden Gebrauch des Kupfers sich auszeichnet, zeigt eine «ausgesprochen weibliche Signatur» (63), während Eisenzeiten männlichen Charakter tragen. Und immer sind es in der Kulturgeschichte der Völker die Kupfer- und Bronzezeiten, die den Eisenzeiten vorangehen. – Auch in der Phylogenie kommt das Kupfer vor dem Eisen: Während beim Menschen und den höheren Tieren das eisenhaltige Hämoglobin in den roten Blutkörperchen der Atemfunktion dient, hat bei niedrigen Meerestieren das kupferhaltige Hämocyanin diese Aufgabe übernommen. Das Kupfer weist zurück in die Vergangenheit, das Eisen bildet die Grundlage des Gegenwartsbewußtseins.

Das 9./10. Lebensjahr ist ein verborgener, aber bedeutsamer Wendepunkt in der kindlichen Entwicklung. In dieser Zeit erfährt das Nachlassen des mütterlichen Elementes etwas wie eine ruckartige Beschleunigung, so daß das Kind sich plötzlich verlassen sieht von Kräften, die es bisher getragen haben. Es hat aber doch die Kraft noch nicht, um sich wirklich selbständig der Welt gegenüber zu stellen. In dieser labilen Übergangssituation – die sich auch darin äußert, daß die Symptome der Schulkrankheit gehäuft auftreten – braucht es die Stütze durch das väterliche Element. Wenigstens ein Mensch muß bleiben, dessen Autorität gegenüber der jetzt erwachenden kindlichen Kritik voll bestehen bleibt, an den das Kind sich halten kann. Das väterliche Element kann ihm aber auch substantiell verordnet werden in Form eines eisenhaltigen Medikaments. Das Eisen wirkt so nicht nur als Heilmittel für die verschiedenen Erscheinungsformen der Schulkrankheit, es gibt dem Kind auch den inneren Halt, den es braucht, um die labile Situation durchzustehen, in der es sich befindet. Die Wirkung des Eisens ist hier eine medizinisch-pädagogische.

Der Arzt folgt mit der Eisengabe dem Vorbild der Natur, denn der Eisengehalt des Blutes wird schon durch den Verlauf der kindlichen Entwicklung ständig erhöht. Die steigende Eisenkurve ist wie ein Leitfaden, an dem das Kind sich emporarbeitet zur nächsten Stufe seiner Entwicklung.

Von solcher Bedeutung des Eisens für seinen Entwicklungsgang weiß selbstverständlich der Schüler nichts, und davon soll er auch im allgemeinen nichts wissen. Wie aber die Natur kein Geheimnis kennt, das sie nicht an irgendeiner Stelle unverhüllt zutage treten läßt (Goethe), so ist auch dieses Geheimnis der kindlichen Entwicklung einmal einem allerdings ungewöhnlichen Schüler zum inneren Erlebnis geworden. Es ist sicher kein Zufall, daß es sich dabei um jemanden handelt, der später als Paläontologe den materiellen Zeugnissen vergangener Entwicklungen nachgehen sollte. Teilhard de Chardin gibt in seiner Schrift «Das Herz der Materie» (64) folgenden Bericht über ein Kindheitserlebnis: «Ich war sicher nicht älter als sechs oder sieben Jahre, als ich anfing, mich von der Materie angezogen zu fühlen – oder genauer gesagt – von etwas, das im Herzen der Materie ‹leuchtete›. In jenem Alter . . . war ich liebevoll, artig – ja fromm. So liebte ich durch die sich übertragende Ausstrahlung meiner Mutter . . . den ‹kleinen Jesus› sehr. Aber in Wirklichkeit war mein wahres ‹Ich› woanders. Um das zu erkennen, hätte man mich beobachten müssen, wenn ich – immer heimlich und ohne ein Wort zu sagen – ohne auch nur zu denken, es könnte darüber irgend etwas zu sagen geben – mich zurückzog in die Betrachtung, in den Besitz, in die genießerisch ausgekostete Existenz meines ‹Eisen-Gottes› . . . Ich sehe heute noch mit seltsamer Genauigkeit die Reihe meiner ‹Idole› vor mir. Auf dem Lande ein Schraubenschlüssel, den ich sorgfältig in einer Ecke des Hofes verbarg. In der Stadt der sechseckige Schraubenkopf, der zu einer im darunterliegenden Zimmer angebrachten Stützsäule gehörte und aus dem Fußboden meines Kinderzimmers hervorragte . . . Später verschiedene Granatsplitter, die ich liebevoll auf einem benachbarten Schießübungsplatz eingesammelt hatte . . . Warum gerade das Eisen? . . . Doch wohl nur deshalb, weil für meine kindliche Erfahrung nichts auf der Welt härter, schwerer, dauerhafter, haltbarer war als diese wunderbare Substanz.» – Hier hat sich der ungewöhnliche Fall ereignet, daß die innere Bedeutung des väterlichen Elements gerade am Erleben von dessen substantieller Erscheinungsform durch ein Kind bewußt erfaßt worden ist. Was hier in wohl einmaliger Art zutage getreten ist, bringt aber doch ein ganz allgemeingültiges Geschehen in geradezu erschütternder Deutlichkeit zum Ausdruck. Von erstaunlicher Treffsicherheit ist der Satz: «Aber in Wirklichkeit war mein wahres ‹Ich› woanders», denn es ist tatsächlich gerade das Ich des Kindes, das sich in diesem Lebensalter auf den Eisenprozeß stützt (65).

Auf der anderen Seite kann es geschehen, daß auch die mütterlich-tragenden Kräfte jetzt noch einmal im Bewußtsein aufglänzen, ehe sie in ihrem leiblichen Wirken endgültig in den Hintergrund treten. Das Bild der Madonna gewinnt für diese Kinder manchmal eine überraschende Bedeutung. Was der Biograph aus dem 9. Lebensjahr des Malers Jawlensky berichtet, ist zwar ein ungewöhnlich intensives Erlebnis, aber doch ein solches, das ein sonst mehr verborgenes, aber für alle Kinder dieses Lebensalters gültiges Geschehen anschaulich zum Ausdruck bringt: «Den Neunjährigen traf das erste große Erlebnis. Eines Tages hatte die Mutter den Knaben zu einer Wallfahrtskirche mitgenommen, in der sich die Ikone einer wundertätigen Muttergottes befand. Das Bild war unter mehreren kostbaren, mit Edelsteinen und Perlen bestickten goldenen Vorhängen verborgen. In andächtiger Stille lagen die Bauern wie gekreuzigt mit ausgestreckten Armen vor dem Bild auf dem Boden. Da plötzlich klangen Posaunen auf, und der Knabe erschrak gewaltig, als die Madonna in goldenem Gewande hinter dem zurückgeschlagenen Vorhang sichtbar wurde. Wie eine überirdische Vision steht das Erlebnis der Ikone im Beginn eines Lebens, das ganz unter diesem Zeichen stehen sollte.» (66)

Gewiß ist ein künftiger Maler für ein solches Erlebnis an einem Bilde besonders aufgeschlossen, und gewiß hat gerade auf einen Menschen des Ostens ein religiöses Motiv eine starke Wirkung. Aber auch dort, wo die Umstände das Madonnenmotiv nicht so urphänomenal hervortreten lassen, leuchtet es in diesem Lebensalter in geheimnisvoller Weise auf. Ich kannte einen in protestantischer Umgebung aufgewachsenen Jungen, der sich mit neun Jahren ohne jede äußere Veranlassung – ein sogenanntes «Marienbüchlein» kaufte, in dem eine Anzahl Madonnenbilder gesammelt waren. Das wurde für einige Monate ein sorgsam gehüteter Schatz; nachher war das Buch vergessen. Es ist, als wenn die mütterlich-tragenden Kräfte, die vorher unbewußt-organisch walteten, noch einmal mehr oder weniger bewußt vor das innere Auge des Kindes träten. Und auch hier kann das, was in dieser Weise seelisch wahrnehmbar wird, auch in seiner substantiellen Erscheinungsform als kupferhaltiges Medikament verabreicht werden, wenn die auftretenden Symptome dem Arzt sagen, daß das mütterliche Element zu früh nachläßt in seinem Wirken (67).

Solche Entwicklungsbedingungen, wie sie durch die Ablösung des mütterlichen durch das väterliche Element um das 9./10. Lebensjahr gegeben sind, berücksichtigt auch der Lehrplan der nach der Pädagogik Rudolf Steiners arbeitenden Schulen: Während für das 3. Schuljahr eine Hausbauepoche angesetzt ist, in der das Kind die umhüllenden Kräfte des Hauses schon leise von außen zu betrachten beginnt, wird ihm im 4. Schuljahr die «Eisenstimmung» der germanischen Mythologie, mit dem hammerschwingenden Thor, nahegebracht. Inneres Erleben und organisches Geschehen verlaufen gleichsinnig und stimmen überein; eine «Physiologie des Lehrplans» wird sichtbar.

Am Beispiel zweier Metalle ließ sich veranschaulichen – was auch für andere als Heilmittel verwendete Substanzen gilt –, daß in der schulärztlichen Tätigkeit das «Übersetzen» pädagogischer Impulse in substantielle Prozesse eine bedeutende Aufgabe darstellt. Erziehung und Heilung überkreuzen sich. Wie der Unterricht seine Konsequenzen bis in die gesundheitliche Verfassung des Kindes hat, so wirkt das Heilmittel hinauf bis in das Bewußtsein und öffnet dieses dem pädagogischen Einfluß.

Zusammenfassung und Ausblick auf die Erkrankungen des Erwachsenenalters

Die im Vorangehenden geschilderte zeitliche Verteilung bestimmter Krankheitsverläufe auf die drei ersten Jahrsiebente der menschlichen Entwicklung wird selbstverständlich in der mannigfaltigsten Weise durch alle möglichen Verschiebungen, Übergänge, Verfrühungen, Verspätungen und Vermischungen durchbrochen. So kann sich im Anschluß an eine Kinderkrankheit wie die Masern schon im Volksschulalter als Komplikation eine isolierte Organkrankheit wie eine Mittelohrentzündung oder eine Lungentuberkulose entwickeln. Dann handelt es sich um eine Vorausnahme desjenigen Krankheitstyps, der seine eigentliche Domäne im dritten Jahrsiebent hat. – Oder es kann sich der Ausbruch einer Kinderkrankheit bis zum Jugend- oder gar Erwachsenenalter verzögern. Es ist dabei für den individuellen Fall außerordentlich aufklärend, zu untersuchen, warum eine solche Verschiebung eintritt. Die grundsätzliche Bedeutung der zeitlichen Gliederung wird dadurch nicht berührt.

Besonders interessant ist es, wenn ein und dieselbe Krankheit ihren Typus je nach dem Lebensalter variiert. So wurde bereits erwähnt, daß die frühkindliche Rachitis vor allem den Schädel befällt (Craniotabes), während die sogenannte Spätrachitis im Präpubertätsalter die Gliedmaßen bevorzugt. Ein weiteres Beispiel dieser Art liefert die Epilepsie (56). Bei dieser Krankheit unterscheidet man kleine und große Anfälle. Von den kleinen Anfällen sollen uns drei Formen hier beschäftigen, weil sie streng an ein bestimmtes Lebensalter des Kindes gebunden sind. Es sind dies 1. die für das frühkindliche Alter charakteristischen Blitz-, Nick- und Salaamkrämpfe, die vom dritten Monat bis zum vierten Lebensjahr auftreten; 2. die gehäuften

kleinen Anfälle der Pyknolepsie, die sich auf das vierte bis zehnte
Lebensjahr beschränken; 3. das Impulsiv-Petit-Mal, dessen spezifisches Manifestitionsalter zwischen dem 12. und 20. Lebensjahr liegt.
Jede dieser Formen hat also ihren Schwerpunkt in einer der drei
kindlichen Lebensepochen. Spricht sich nun etwas vom Charakter
dieser Lebensepochen auch in der Art der Anfälle aus? Bei den
Blitz-, Nick- und Salaamkrämpfen kommt es zu blitzartig kurzer
oder langsamer Vorwärtsbeugung von Kopf, Nacken und Rumpf.
Die Neigung dieses Lebensalters zu zusammengerollter Körperhaltung bricht hier in einer pathologischen Erscheinung durch. – Die
gehäuften Absenzen der Pyknolepsie, die 10–40–100mal am Tag
auftreten können, entsprechen dem wechselhaften, «atmenden» Geschehen der zweiten Lebensepoche. – Das Impulsiv-Petit-Mal endlich äußert sich in plötzlichen heftigen Stößen in Armen und Schultern, die meistens morgens auftreten. Der Gliedmaßen-Charakter
dieser Anfälle ist deutlich. – Es besteht also eine innere Beziehung
zwischen der Art der kleinen epileptischen Anfälle im Kindesalter
und der Lebensepoche, in der sie auftreten (58).

Auch innerhalb der Erkrankungen des Erwachsenenalters finden wir
die drei Krankheitstypen wieder, deren Entsprechung zu den drei
Jahrsiebenten der kindlichen Entwicklung wir verfolgt haben. Vor
allem werden beim Erwachsenen diejenigen Krankheitsformen maßgebend, die schon für das dritte Jahrsiebent charakteristisch sind:
Die Stoffwechselkrankheiten, die isolierten Organkrankheiten. Es
kommt jetzt zu den eigentlichen Stoffwechselkrankheiten: Zuckerkrankheit, Fettsucht, Gicht.
Aber auch die beiden anderen Krankheitstypen, deren Urbilder wir
in den ersten beiden Lebensepochen des Kindes kennengelernt haben,
setzen sich in abgeschwächter Form in das Erwachsenenalter fort.
Die typischen zyklischen Fieberkrankheiten sind allerdings selten
geworden. Das war noch vor wenigen Jahrhunderten anders, als die
großen Epidemien über Europa hinzogen: Pest, Blattern, Typhus,
Cholera. Heutzutage findet man diesen Krankheitstypus noch häufiger, wenn man nach dem Osten kommt. Schon in Rußland kann

man zyklischen Fieberkrankheiten wie Typhus, Fleckfieber, wolhynischem Fieber, russischem Kopfschmerzfieber etc. öfter begegnen. Und die Cholera z. B. ist ja in Indien immer noch endemisch.

Dagegen scheinen die eigentlichen Stoffwechsel- und Geisteskrankheiten besonders im Westen zuzunehmen. Vor allem von Nordamerika werden erschütternde Zahlen über die Zunahme der Geisteskrankheiten berichtet.

Und was schließlich den dritten Krankheitstyp anbelangt, die Krankheiten mit dem wechselnden Charakter: bald fehlt es hier, bald fehlt es da – nicht recht gesund und nicht recht krank – heute unpäßlich, morgen indisponiert –, so gibt es ja in unseren Gegenden, in Mitteleuropa, kaum einen Menschen, der davon verschont bleibt. Die Namen für die Krankheiten dieses Typs wechseln. Früher sprach man mehr von den funktionellen Erkrankungen, heute nennt man es vegetative Dystonie. Bezeichnend für den meteorologisch wechselnden Charakter dieses Krankheitstypus ist es, daß er so häufig mit Wetterfühligkeit verknüpft ist. Auch eine ganze Reihe chronischer Krankheiten, Herz- und Kreislaufkrankheiten, rheumatischer Erkrankungen gehören ihrem Verlauf nach zu diesem schwankenden Krankheitstyp.

Man kann die drei Hauptkrankheitstypen noch von einer anderen Seite her charakterisieren. Man kann sagen: Bei den Fieberkrankheiten wird der ganze Mensch erfaßt und einheitlich durchglüht von der Wärme; bei den wechselhaften Erkrankungen gleitet der Krankheitsprozeß gewissermaßen über den Menschen hin, zeitlich nacheinander bald diese, bald jene Region berührend; beim dritten Krankheitstyp sehen wir die Tendenz zur isolierten Organkrankheit. In dieser Reihenfolge bewegen sich die Krankheiten immer mehr vom Zentrum des Menschen weg zur Peripherie, vom Ganzen zu den Teilen. Sie lösen sich immer mehr vom Menschen ab. Und mit zunehmendem Alter streben die Krankheiten und Krankheitszustände dann überhaupt einem Endzustand zu, bei dem das Krankheitsprodukt weitgehend aus den Organisationsprozessen entlassen wird; es kommt zu Narben, Verkalkungen, Steinbildungen, Ablagerungen der verschiedensten Art.

In die Reihe dieser Ablagerungen gehören nicht nur das Cholesterin und der Kalk, die sich in den Wänden der Schlagadern und in den Gelenkknorpeln anreichern, nicht nur die Steinbildungen in Niere und Galle, die Starbildung im Auge etc. Es gehören auch hierher die Neigung zur Fettbildung im höheren Lebensalter; der Zucker, der dem Diabetiker entfällt und im Blut und in den Geweben sich anreichert; die Harnsäurekristalle, die sich beim Gichtiker finden; die Verdichtungen, die sich als Thrombosen, Embolien, Infarkte dem strömenden Blut entgegenstellen etc. Immer mehr wird der alternde Organismus von solchen Ablagerungen durchsetzt, bis dann schließlich einmal der Körper als Ganzes im Tode zur Ablagerung wird und die Individualität sich zu einer neuen Daseinsstufe erheben kann.

Wie die Krankheitsprozesse, so streben auch die Lebensvorgänge im Alter einem Zustande der Verlangsamung, des Auslaufens, des Zuendekommens, der Inaktivität zu, wobei Zonen größerer und geringerer Inaktivität nebeneinander bestehen.

In dieser oder jener Form läßt sich bei fast allen Krankheiten wenigstens ein Anklang an einen der hier als charakteristisch für die drei kindlichen Lebensepochen skizzierten Krankheitsverläufe finden. Diese drei Hauptmotive sind deshalb so grundlegend, weil es sich bei ihnen um die mikrokosmische Wiederholung großer kosmischer Entwicklungsschritte handelt. Mit den Begriffen aus Rudolf Steiners «Geheimwissenschaft» können wir sagen: Saturnische Wärmeprozesse, sonnenhafte Atmungsvorgänge und mondenhafte Stoffwechselabläufe sind es, die sich da wiederholen.

Nur eine Krankheit fällt aus diesen Zusammenhängen ganz heraus; diejenige, die die aktuellste der Gegenwart geworden ist: die Krebskrankheit. Sie zeigt zwar den linear fortschreitenden Verlauf, der dem dritten Krankheitstypus entspricht, aber sie strebt von sich aus keinem Endzustand zu, im Gegenteil, sie wuchert immer weiter und findet, wenn weiter nichts hinzukommt, erst durch den Tod des Trägers eine von außen gesetzte Grenze. Während bei den anderen Krankheiten der Mensch eine mehr oder weniger große organische Aktivität aufbringt, die bei den Fieberkrankheiten am stärksten ist, entsteht die Krebskrankheit als gegenmenschliche Fremdaktivität gerade auf dem Boden herabgesetzter menschlicher Eigenaktivität (anergische Reaktionslage), weshalb sie mit zunehmenden Jahren häufiger wird. Daß die Krebskrankheit ihren Ansatzpunkt gewissermaßen außerhalb des Menschen nimmt (siehe Abb. 13), dafür spricht auch die Tatsache, daß Fremdstoffe aus der technisierten Umwelt bei ihrer Entstehung eine große Rolle spielen.

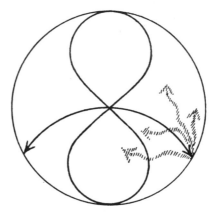

Abb. 13   Die drei Hauptmotive des Krankheitsverlaufs
im Gegensatz zur Krebskrankheit.

Wenn in der Anamnese Krebskranker die Angabe immer wiederkehrt, daß sie wenig oder keine Krankheiten durchgemacht haben, daß die Krebskrankheit also nicht nur formal (d. h. ihrem Verlauf nach), sondern auch tatsächlich aus dem Zusammenhang mit den anderen Krankheiten herausfällt, so liegt in einer solchen Tatsache auch ein Hinweis darauf, wo die Heilung für den Krebskranken zu suchen ist. Die Repetition früherer Entwicklungsstufen, die wir nach der hier skizzierten Auffassung in den drei Hauptmotiven des Krankheitsverlaufes zu sehen haben, muß nachgeholt werden, indem Wärmeprozesse, Atmungs- und Stoffwechselvorgänge im Menschen aktiviert werden. Was für sich betrachtet als Krankheitsprozeß auftritt, wird unter diesem Gesichtspunkt zum Heilungsvorgang. Daß derartige Zusammenhänge tatsächlich bestehen, wird in solchen

Fällen demonstriert, bei denen eine Art Naturheilung dadurch eintritt, daß von einer interkurrenten Krankheit, insbesondere einer Fieberkrankheit (Erysipel), der Verlauf der Krebskrankheit günstig beeinflußt wird. Durch eine solche Wiedereingliederung in die großen kosmischen Zusammenhänge der Vergangenheit kann der Mensch die Kraft gewinnen, mit dieser eigentlichen Erdenkrankheit fertig zu werden.

Literatur

1 In Feer, Kinderheilkunde. Jena 1934.

2 Pirquet, Allergie des Lebensalters. Wien. Klin. Wschr. 1929, 65.

3 R. Steiner, Die Erziehung des Kindes vom Gesichtspunkt der Geisteswissenschaft. Berlin 1907, Neuauflage Dornach 1969.

4 R. Lempp, Frühkindliche Hirnschädigung und Neurose. Bern und Stuttgart 1964.

5 R. Steiner, Von Seelenrätseln. Berlin 1917, 3. Auflage Dornach 1960.

6 H. Radtke, EEG-Befunde gesunder Erstimpflinge. Mschrft. Kinderheilkunde 109, Heft 1, Januar 1961.

7 R. Steiner, Pädagogische Schriften, z. B. «Gegenwärtiges Geistesleben und Erziehung» (Ilkley-Kurs 1923). Neuauflage Stuttgart 1957.

8 Höring, Klinische Infektionslehre. Berlin 1938.

9 Goethe, Dichtung und Wahrheit I, 1.

10 Bennholdt-Thomser in «Der Mensch unserer Zeit». Stuttgart 1958.

11 VIII. Internat. Kongreß für Kinderheilkunde, Kopenhagen, 22. bis 27. Juli 1956.

12 Bericht auf dem Landeskongreß der japanischen Hebammen, 1954.

13 Beck, Mißbildungen und Atombombenversuche. Erfahrungsheilkunde 1958, Heft 4–7.

14 B. Singh, Indian Association of Pediatricians. New Delhi, India.

15 R. Steiner, Die geistige Führung des Menschen und der Menschheit. Berlin 1911, 7. Aufl. Dornach 1960. Siehe auch Karl König, Die ersten drei Jahre des Kindes. Stuttgart 1957.

16 J. Lutz, Psychische Folgen des Schädelbruches im Kindesalter. Zeitschr. f. Kinderpsychiatrie 1949, Heft 4 und 6; 1951, Heft 6.

17 G. Göllnitz, Die Bedeutung der frühkindlichen Hirnschädigung für die Kinderpsychiatrie. Leipzig 1954.

18 Koch, Nachr. Kinderheilkunde, 99, 108 (1951).

19 B. Lievegoed, Vortrag 17. März 1957. Zeist.

20 N. Glas, Frühe Kindheit. Stuttgart 1954.

21 W. zur Linden, Geburt und Kindheit. Frankfurt 1957.

22 J. Apley, R. Mac Keith, The Child and his Symptoms. Oxford 1962.

23 R. Haffter-Gass (Übersetzung), Das Kind und seine Symptome. Stuttgart 1965.

24 R. Steiner, Vortrag 18. April 1921. Veröff. in: Geistesw. Gesichtspunkte zur Therapie. 3. Auflage Dornach 1963.

25 H. Schmid, Beitrag zur Frage der «Ectodermoses neurotropes», zugleich zur Frage der Genese encephalitischer Erkrankungen überhaupt. Schweiz. Arch. Neur. 33, 82 (1934).

26 Med. Periskop Ingelheim, Heft 7, S. 34 (1957).

27 Dtsch. med. Wschr. 8. März 1957.

28 R. Steiner, Die Offenbarungen des Karma, 5. Auflage Dornach 1968.

29 Zeller, Konstitution und Entwicklung. Göttingen 1952.

30 R. Steiner, Die geistig-seelischen Grundkräfte der Erziehungskunst. Vortragszyklus Oxford 16.–25. August 1922, Dornach 1956.

31 R. Steiner, Anthroposophie und die Rätsel der Seele. Vortrag 17. Januar 1922.

32 Hellbrügge und Rutenfranz, Schule und Erholung im Leben der Großstadtkinder. Dtsch. med. Wschr. 52, 109 (1955).

33 J. Fischer, Ärztliche Stimmen zur Jugendüberforderung durch die höhere Schule. Ä. M., Heft 6, 1957.

34 R. Treichler, Das Volksschulalter in ärztlicher Sicht. Erziehungskunst, 1957, Heft 7 und 8.

35 Lassrich, Lenz, Schäfer, Ulkusleiden im Kindesalter. Dtsch. med. Wschr. 1955, Nr. 37.

36 Berthold Faig, R. Steiner in der Mal- und Zeichenstunde. Erziehungskunst 1957, Heft 7.

37 R. Steiner und I. Wegmann, Grundlegendes zur Erweiterung der Heilkunst. Dornach 1925.

38 W. Holtzapfel, Schulangst. Das Seelenpflbed. Kind, 1956, Heft 1.

39 G. Husemann, Mündliche Mitteilung.

40 R. Steiner, Vortrag 14. April 1921. Geisteswiss. Gesichtspunkte zur Therapie a. a. O.

41 E. Blechschmidt, Vom Ei zum Embryo. Stuttgart 1968.

42 Brock, Biolog. Daten für den Kinderarzt, Bd. I S. 382. Berlin 1954.

43 Stutte, Vortrag Therapiekongreß, Karlsruhe, 2. September 1958.

44 Braumiller, Die Körperhaltung als Leib-Seele-Problem. Erziehungskunst, Dezember 1958.

45 Lungmuss, F., Das klin. Bild der Lymphadenitis mesenterialis, Fortsch. d. Med. Nr. 4 S. 95 (1957).

46 W. Holtzapfel, Das Eisen in der Hand des Schularztes. Beitr. Erw. Heilk. 1954, Heft 3/4.

47 A. E. Jensen, Das religiöse Weltbild einer frühen Kultur. Stuttgart 1948.
48 J. Jochims, Arch. Kinderheilk. 147, S. 156–158 (1953).
49 Kundratitz, Wien. Klin. Wschr. 1952, Nr. 43, S. 829–833.
50 Schwäb. Donauzeitung, 16. September 1957.
51 Schwäb. Donauzeitung, 11. Oktober 1958.
52 Rudolf Steiner, Die Evolution vom Gesichtspunkt des Wahrhaftigen, Vortrag V. 4. Auflage Dornach 1969.
53 Kristall, 13. Jahrgang, Nr. 14, 1958.
54 Zitiert nach Wachsmuth, Die Reinkarnation des Menschen, S. 306, Dresden 1935.
55 W. Bachmann, Bestehen Zusammenhänge zwischen Schizophrenie und Tuberkulose? Schweiz. med. Wschr., 78. Jg., 1948, Nr. 3, S. 62.
56 D. Janz, Moderne Differentialdiagnostik und Therapie der Epilepsie. Die Medizinische Nr. 42, 19. Oktober 1957.
57 K. König, Die ersten drei Jahre des Kindes, Stuttgart 1957.
58 W. Holtzapfel, Die Dreigliederung der kleinen epilept. Anfälle im Kindesalter. Beitr. Erw. Heilk. 1959, Heft 3/4.
59 Kretschmer, Körperbau und Charakter. Berlin 1955.
60 W. Holtzapfel, Seelenpflege-bedürftige Kinder Bd. I., Dornach 1976.
61 E. Gabert, Das mütterliche und das väterliche Element in der Erziehung, in: Autorität und Freiheit. Das mütterliche und das väterliche Element in der Erziehung. Stuttgart 1977.
62 W. Holtzapfel, Das mütterliche und das väterliche Element im kindlichen Blut. Erziehungskunst, Jg. XX, März 1956.
63 F. A. van Scheltema, Die Kunst der Vorzeit.
64 Zitiert nach: J. Hemleben, Teilhard de Chardin, Hamburg 1966.
65 R. Steiner, Geisteswissenschaftliche Gesichtspunkte zur Therapie (Vortrag 14. 4. 1921) GA 313.
66 C. Weiler, Alexej von Jawlensky, Das Goetheanum, 25. Sept. 1954.
67 W. Holtzapfel, Der Kupferprozeß in der kindlichen Entwicklung, Beiträge zu einer Erweiterung der Heilkunst, 8. Jahrgang, Mai/Juni 1955.

«Menschenkunde und Erziehung»

Schriften der Pädagogischen Forschungsstelle beim Bund der Freien Waldorfschulen

VERLAG FREIES GEISTESLEBEN STUTTGART